Eu escolhi viver

Yannahe Marques

Rose Rech

Título original: *Eu escolhi viver*

Copyright © 2021 Yannahe Marques e Rose Rech

1ª edição: Maio 2021

Direitos reservados desta edição: CDG Edições e Publicações

O conteúdo desta obra é de total responsabilidade das autoras e não reflete necessariamente a opinião da editora.

Autor:
Yannahe Marques e Rose Rech

Preparação de texto:
Marcelo Nardelli

Revisão:
João Paulo Putini

Projeto gráfico:
Jéssica Wendy

Capa:
Dharana Rivas

DADOS INTERNACIONAIS DE CATALOGAÇÃO NA PUBLICAÇÃO (CIP)

Eu escolhi viver : conheça a história que a medicina não conseguiu explicar / Yannahe Marques, Rose Rech. -- Porto Alegre : Citadel, 2021.
  160 p.

ISBN: 978-65-5047-041-8

1. Relacionamento abusivo 2. Violência contra mulheres 3. Marques, Yannahe - Narrativas pessoais I. Título II. Rech, Rose

21-1295   CDD 362.83

Angélica Ilacqua - Bibliotecária - CRB-8/7057

Produção editorial e distribuição:

contato@citadel.com.br
www.citadel.com.br

Eu escolhi viver

Yannahe Marques
Rose Rech

Esta obra é resultado do relato biográfico da autora Yannahe Marques, mas alguns nomes foram omitidos e outros são fictícios de modo a preservar devidamente as identidades dos envolvidos nos eventos narrados.

Sumário

Prólogo: Escuridão total — 09

Felizes para sempre? — 13
O princípio do fim — 21
Sem você eu não vivo — 35
Sexto sentido — 45
Eu prefiro te ver morta — 55
Não foi só um tiro de raspão — 65
Morte cerebral — 73
Uma radiografia e um milagre — 83

Anexos (parte 1) — 95

O despertar — 119
Yannahe (por Rose Rech) — 129
Eu escolhi viver — 141

Anexos (parte 2) — 151

Escuridão total

Tudo ficou escuro.
Parece mentira, mas
naquele momento
eu não sentia dor.

Prólogo
Escuridão total

Havia apenas a escuridão total, precedida de um zumbido que começou alto, mas depois sumiu aos poucos. Todos os outros sentidos estavam em pleno funcionamento. A respiração deveria ser minha maior preocupação, mas eu ficava pensando nos meus filhos o tempo todo. Por que estamos passando por isso? Aquele cheiro de fumaça. Pólvora. Senti meu cabelo molhado. Muito molhado. Não era água. Era sangue. Não ouvi mais nada.

Você já parou para pensar qual é a sensação de levar um tiro? Eu nunca havia pensado nisso. Um tiro. Ainda mais um disparado pela pessoa com quem você conviveu ao lado por tanto tempo. Minha visão era completamente inexistente, meu corpo parecia ter um peso absurdo. Eu tentava contar os passos que precisaria dar para sair dali. Mas como fazer isso sem enxergar? Pelo elevador, ou quem sabe pelas escadas. Todas as possibilidades passavam pela minha cabeça em milésimos de segundo.

Tudo isso se resumia a uma única certeza: eu precisava viver. Algo dentro de mim repetia isso. A morte não era uma opção. Logo, desistir também não. Inexplicavelmente, me agarrei a um pensamento: "Os meus filhos precisam de mim". Em uma situação dessas, você se apega àquilo que mais importa, mas milhares de outras coisas podem passar pela cabeça também, mesmo havendo uma bala dentro dela, como no meu caso. Por mais que eu estivesse preocupada com meus filhos, sentia que, pelo menos por ora, possivelmente eles estavam a salvo. Eu não enxergava nada, mas era como se eu assistisse a um filme acelerado, muitas cenas em um piscar de olhos. Minha infância, meus pais, a casa em que morei, meu casamento, meus filhos. Ah, meus filhos! Como eles estão? Não escuto mais nada agora. Um silêncio estranho. Isso não pode estar acontecendo, não pode.

Felizes para sempre?

Quando somos jovens, acreditamos que a vida é linear: crescer, estudar, trabalhar, casar, ter filhos, morrer.

Capítulo 1
Felizes para sempre?

Não contamos com os obstáculos, as reviravoltas, as dificuldades e as tensões que enfrentaremos ao longo desse percurso.

Ao apostarmos na linearidade, também esquecemos de considerar os picos de felicidade: dias de felicidade mais extrema, daqueles que a gente guarda, não conta para ninguém, mas que lembramos antes de dormir ou enquanto fazemos alguma atividade corriqueira. Você já pensou no dia do nascimento do seu filho enquanto ia para o trabalho, aquele trajeto que faz toda semana? Pois é, é disso que estou falando.

Na minha juventude, jamais pensei que passaria pelo que passei. Mas também nunca pensei que seria tão grata e tão feliz por estar viva. Penso nisso todos os dias ao acordar. Sempre fui uma pessoa muito alegre, brincalhona, uma "menina espevitada, que não para um minuto quieta", apaixonada pela vida, pelas descobertas, pelas pessoas. Foi assim quando me apaixonei pelo Miguel.

Na concepção que tinha sobre relacionamentos, ele me pareceu a escolha ideal; era muito gentil, educado, companheiro no início, disposto a cuidar de mim e não deixar que eu me preocupasse com mais nada na vida. Miguel foi o meu primeiro namorado sério, e, depois de um tempo de namoro, nos casamos quando completei 20 anos. Eu era uma menina e estava apaixonada.

Tudo me levava a crer que nosso relacionamento era perfeito; logo tivemos filhos e seguíamos a nossa vida de casal. Eu sempre idealizava que ele tinha sido a escolha certa. Mesmo depois de tudo o que aconteceu, continuei achando por um tempo que isso era verdade. "Não é por que acabou que o tempo que passamos juntos não valeu a pena, não é mesmo?", eu pensava. Além do mais, costumava dizer que "O amor não precisa ser eterno para ser real". Mas fato é que a vida vai nos mostrando que nem tudo é o que parece ser.

Treze anos. Praticamente uma vida. Como todo casal, tivemos altos e baixos, dificuldades no meio do caminho. Mas me lembro perfeitamente dos dias em que comecei a achar que não dava mais...

Na realidade, desde o início do nosso relacionamento Miguel sempre se mostrou muito possessivo, ciumento, autoritário e controlador. Mas como ele criara uma faceta de bom marido e bom pai, provedor do lar e protetor, calculadamente foi capaz de transformar o nosso convívio em algo "normal". O pior é que essa atmosfera de convívio estável tem uma capacidade surpreendente de neutralizar os nossos sentidos e o próprio instinto de autopreservação que todos nós temos. Como somos capazes de viver por tanto tempo sob uma condição desfavorável, em um ambiente que na realidade não é seguro e sim hostil, e que principalmente em nada tem a ver com o amor? **O amor não é posse, nem ciúme, nem dependência emocional nem muito menos controle.**

A verdade é que ao vivermos um relacionamento abusivo, a nossa óptica é distorcida, e justamente os padrões de comportamento agressivo, como uma fala ou gestos ríspidos, excessos de ciúme e controle travestidos de cuidado são lidos como:

"Ah, ele só é assim porque me ama muito!". Não. Isso não é amor, e hoje sei muito bem disso.

Quem é esse homem?

Ao mesmo tempo que Miguel se demonstrava perfeito para mim e diante da nossa família, um sentimento quase incontrolável o consumia por dentro. "Nana, eu não suportaria a ideia de te perder", ele costumava dizer. Chega a ser comovente aos olhos de uma mulher apaixonada uma declaração dessas. Mas acontece que, longe de ser uma declaração de amor, por trás de uma afirmação dessas pode haver um traço patológico muito perigoso.

Miguel tinha muito medo de me perder. Chegava a ser doentio. A insegurança dele era tanta que sentia a necessidade de me monitorar, tomar conta de cada passo meu, me "proteger", não permitindo que eu saísse de casa, e me trancando nela muitas vezes, dizendo que assim seria mais seguro. Mas segurança para quem!?

Romântica como sempre, chegava a achar que suas manifestações de cuidado extremo e até mesmo ciúmes quando saíamos para dançar eram atitudes de um homem que me amava. O problema é que, em minha inexperiência e ingenuidade, eu ainda não era capaz de enxergar aqueles sinais de alerta contra o abuso. E sempre existem sinais.

* * *

A partir da minha história, espero poder ajudar cada mulher que possa estar passando por algo parecido, ou se possível mesmo evitar a passar, com os sinais de alerta que serão compartilhados em cada capítulo deste livro. Por meio deles, a proposta é que você identifique padrões e comportamentos que são indicativos de uma relação abusiva, portanto, ao menor sinal, afaste-se, rompa com esse relacionamento antes que seja tarde demais.

Sinais de alerta

Se o seu parceiro apresenta ciúme excessivo, tentativa de monitoramento, manipulação psicológica e emocional e postura controladora e agressiva, atenção! Você pode estar em um relacionamento abusivo. Jamais permita ser coagida, sob qualquer circunstância. Cárcere privado é crime, então, se estiver vivenciando uma situação dessa, ou caso conheça uma vítima, denuncie!

O princípio do fim

Eu cresci numa família de mulheres fortes e determinadas, o que para muitos homens pode representar uma ameaça a sua posição de provedor e chefe de família.

Capítulo 2

O princípio do fim

Conhecida por ter uma personalidade forte, sempre gostei de impor as minhas vontades, falar o que penso. Mas, pouco a pouco, o meu casamento com Miguel foi minando o meu jeito de ser, minha extroversão, minha alegria de viver. Já não me reconhecia mais, pois cheguei ao ponto de achar que realmente minhas atitudes eram de mulher assanhada e que não estava sendo uma boa esposa para ele. Nada daquilo fazia sentido. Não era normal. E o pior é que eu não percebia.

Passei pelo namoro, aquela fase maravilhosa em que tudo é lindo, emocionante e simplesmente perfeito sem perceber que aquele excesso de dependência emocional de Miguel escondia algo perigoso. Assim como muitas de nós, ouvia um "não consigo viver sem você" como uma das declarações de amor mais bonitas do mundo, e talvez por isso deixava passar olhares transtornados de ciúme numa balada, seguido de um puxão pelo braço para irmos correndo embora, considerando até mesmo como "normal".

Depois de subir ao altar, os primeiros anos foram marcados pela alegria da chegada dos filhos, e como toda mãe que tem um amor incondicional pelos filhos, mais uma vez o comportamento ameaçador do marido passara desapercebido. No final das contas, ele sempre parecia ter razão, pois não deixava faltar nada em casa, eu não tinha que me preocupar em trabalhar,

Sempre existem sinais, ainda que a nossa percepção esteja anestesiada. Mas é preciso acordar antes que seja tarde demais.

eu e meus filhos tínhamos tudo, ele cuidava das crianças, e as brigas eram coisa normal num casamento, certo? Naquela época, eu sempre procurava não me abalar com os gritos, xingamentos e empurrões, pois sempre racionalizava que era "normal", afinal ele havia ficado nervoso. "Vai ficar tudo bem", pensava. Mas, no fundo, algo me dizia que aquilo tinha que acabar.

Morrendo cozida

Toda vez que conto minha história de vida, muita gente desconfia do meu relato, acham que estou inventando, porque, afinal, seria impossível sobreviver depois do que aconteceu comigo. Ou ainda, acreditam que de alguma maneira eu poderia ter evitado o ocorrido. O que mais costumo ouvir são comentários do tipo:

"Mas por que você ficou tanto tempo com um cara desses?"

"Como você pôde ter colocado seus filhos em risco?"

"Você é tão bonita, como se sujeitou a tudo isso?"

"O que foi que você fez para ele fazer isso com você?"

Esta última frase é uma das que mais me dói ouvir, pois nada no mundo justifica a violência contra a mulher, mas a maioria das pessoas sempre tem uma pergunta dessas na ponta da língua e mal sabe o quanto é horrível receber esse tipo de julgamento. A verdade é que a vítima não tem as respostas para essas perguntas. A gente nunca escolhe viver algo ruim. Se eu pudesse escolher, jamais teria escolhido passar pelo que passei. Mas essa tragédia aconteceu e eu escolhi viver, para evitar que outras pessoas chegassem perto de passar por uma coisa dessas.

Uma vez me contaram uma história curiosa sobre sapos. Conta-se que o sapo, se jogado na água quente, pula e foge do perigo. Porém, se for colocado na água fria e esta for aquecida aos poucos, ele morre com a fervura sem perceber. Muitas de nós infelizmente somos assim como os sapos. Acostumamo-nos com mudanças sutis, que começam devagar e aumentam lentamente, por mais graves e erradas que sejam. De princesas, passamos a ser tratadas como sapos, e aos poucos vamos morrendo cozidas. Nem sequer nos damos conta do que está acontecendo. Não gritamos, nem tentamos fugir do perigo.

Nós, mulheres, fomos inferiorizadas durante muito tempo. E continuamos sendo vítimas de machismo e crimes contra a mulher. Isso fez com que, mesmo de maneira inconsciente, nos conformássemos com algumas situações. Mas não podemos nos conformar, não podemos ser o sapo que morre na água fervente. Ao primeiro sinal de opressão, violência ou submissão (física, emocional ou psicológica), se posicione, fuja, peça ajuda e denuncie!

Eu senti na pele o que é ser esse sapo. Eu sofri e achei que várias das situações que passei no meu casamento eram normais e que eu deveria passar por me sentir culpada. Uma culpa que somente depois fui entender que ele me impunha.

Como meu ex-marido aparentemente me tratava bem na maior parte do tempo, pagava a maioria das contas da casa, eu acreditava que aquilo "fazia parte do pacote". Mas, de novo, isso era apenas uma visão distorcida da realidade, e sempre é preciso esforço para reconhecer e romper com essa situação.

Marcas que ficam

Acredito que todo mundo tem certas memórias que gostaria de poder apagar. Certas coisas nos marcam profundamente, e como parece bom se pudéssemos esquecer. No meu caso, já desejei muito esquecer o que causou a minha primeira tentativa de separação.

Certa vez, meu segundo filho, Murilo, então com apenas 4 anos, disse que estava com fome. Naquela época, Miguel era um homem muito grande, bastante acima do peso, pois ainda não tinha feito a cirurgia de redução do estômago. Ele era muito maior do que eu. Eu estava limpando a casa e Miguel estava sentado do lado de fora. Logo, decidiu preparar algo para o filho comer, então se levantou e foi em direção à cozinha. Ele sempre procurava demonstrar cuidado com as crianças. Queria fazer as vezes de bom pai. O prato feito para Murilo foi um pouco de macarrão. Contudo, a quantidade de comida não seria suficiente para os nossos dois filhos. "Como assim, ele faz comida só para um?", pensei. Então, ainda na agitação da faxina, apressadamente falei: "Já que vai fazer um macarrão, faça para a Vittsa também. Começa de novo, ainda dá tempo".

Naquela hora eu só queria ajudá-lo a pensar em nossos dois filhos, e não atender a apenas um. Mas eu não contava com o que viria a acontecer a seguir. Minha atitude de se aproximar para ajudá-lo na cozinha o irritou profundamente. Por uma coisa à toa, ele acabou ficando fora de si. Pegou o telefone para ligar para a minha avó. Essa era uma maneira de me constranger, de dizer para uma pessoa que eu admiro muito – a minha avó – que eu não fazia as coisas da maneira correta. Então, corri até ele e falei para que não ligasse, pois essas coisas nós resolvíamos em casa, que aquilo era desnecessário.

Entretanto, a ligação para minha avó naquele dia seria o menor dos meus problemas, pois na sequência veio a dor da surra que levei. Num pavoroso acesso de raiva, Miguel começou a me bater, ali mesmo na sala, na frente das crianças, e não parou mais. Seguiu me dando tapas no rosto e me golpeou a cabeça com o próprio telefone. Mesmo já caída, ele continuava a me bater descontroladamente, com uma força que eu não sei de onde vinha. A dor era absurda. Eu já não enxergava direito e sentia muita tontura.

Não sei quanto tempo se passou, mas se pudesse chutar uma resposta diria que foram pelo menos trinta minutos apanhando sem trégua. Me senti horrível, um lixo, imprestável. Ele só parou quando se assustou com o sangue, porque um dos tapas me fez voar e cair em cima da mesa de vidro, e foi nessa hora que cortei o rosto. Seria a primeira das marcas que ficariam para sempre e que jamais me fariam esquecer o que vivi com aquele homem.

Então Miguel estacou diante de mim, com as mãos sujas de sangue. Saiu de perto, aparentando uma exasperação, e como eu queria acreditar que ele estivesse também arrependido. Mas não podemos nos enganar jamais com a história do arrependimento, pois ela não impede que eles façam isso de novo e de novo. Infelizmente.

Depois daquele dia, peguei as crianças e saí de casa. Ao sair pela porta, disse a ele que se ainda o encontrasse lá quando voltasse, ele sairia preso pois eu chamaria a polícia. Hoje penso porque não liguei, pois ao primeiro sinal de violência o caminho é sem volta.

Infelizmente, minha única reação, além da indignação, foi ir para a casa da minha mãe para me recompor, e em seguida dar ouvidos aos apelos desesperados por perdão de Miguel. Ele chorava de joelhos no chão pedindo pelo amor de Deus que eu o perdoasse, dizendo que não sabia o que tinha acontecido com ele e que jamais faria aquilo novamente. Mesmo com a cicatriz no rosto, balancei. Coloquei a crença na reparação da parte dele na frente do dado de realidade. Mas as estatísticas não mentem.[1]

Ficamos seis meses separados após esse acontecimento. Durante esse período, quando eu contava o que tinha acontecido, as pessoas diziam: "Imagina, o Miguel é tão calmo"; "Mas

---

1. A cada dois minutos, uma mulher é agredida no Brasil, segundo o Fórum Brasileiro de Segurança Pública (FBSP). (N.E.)

o Miguel é tão tranquilo"; "O Miguel é tão bonzinho". Ninguém acreditava. Muitas vezes eu mesma começava a duvidar da própria realidade; queria viver na negação ao também não querer acreditar no que eu passava nas mãos dele. E mesmo os que acreditavam pensavam que era um caso isolado, um dia em que ele se descontrolou, que aquele não era o Miguel verdadeiro. Mas era. Os sinais já apareciam, em várias situações; eu só nunca tinha contado nada para ninguém. Somente agora tenho forças para dizer isso. Então, nunca é só uma vez. Nunca é só um descontrole, e o nosso silêncio enquanto vítimas nos leva fatalmente a vivermos um inferno na relação.

Todas as vezes em que fui agredida ele disse ter se arrependido muito. Dizia ser um negócio que doía nele. Mas a realidade é que ele só falava isso sempre depois que já havia doído muito mais em mim. Ele me olhava, às vezes quando ainda estava machucada, e dizia: "Não acredito no que fiz. Que monstro, como eu fiz isso com você?". As pessoas que o conheciam não acreditavam, porque ele era o "melhor marido do mundo", um cara aparentemente comum. Quem o conhecia jamais pensava: "Esse cara agride a própria mulher".

Perdoar é a pior escolha

Uma parte de mim parece que não quer aceitar que a pessoa que eu amava, na verdade, era um agressor, pois infelizmente esse episódio não foi isolado. Como eu disse, fui o sapo que não percebeu que a água estava fervendo. Confesso que nunca havia contado essa história antes, e como é difícil relembrar e colocar em palavras o que aconteceu. A gente não quer admitir. Antes, é necessário superarmos um conflito interno. Mas resolvi contar pois escolhi viver justamente para que nenhuma outra mulher que passe por isso deixe chegar ao ponto que eu deixei.

Quando éramos mais jovens e ainda namorávamos, estávamos em um bar muito conhecido da nossa cidade. Nesse dia eu dancei com outro rapaz na pista de dança. Mas é claro que eu não tinha nenhum interesse nele ou segunda intenção, pelo contrário, éramos todos conhecidos uns dos outros. O clima era de confraternização. Antes do horário em que normalmente voltávamos para a casa, Miguel me chamou para ir embora. Não percebi que ele estava incomodado, só estranhei o fato de querer voltar para casa tão cedo. Mesmo assim, me despedi das pessoas e saímos. Logo na saída do bar, ele me segurou pelo braço com força, como nunca havia feito antes. Os olhos estavam enfurecidos. O meu medo veio seguido de muito mal-estar e um sentimento de culpa, mesmo sem saber por quê. Perguntei ao Miguel se estava tudo bem e, ao entrarmos no carro, ele foi extremamente grosso, dizendo que eu tinha me oferecido para o rapaz no bar. Não houve nem mesmo tempo para a minha indignação, pois imediatamente ele começou uma sessão de xingamentos e ofensas verbais. O descontrole foi aumentando, então veio o primeiro tapa. Recebi não só um, mas três tapas na cabeça, dentro do carro, logo depois de termos deixado um lugar que deveria representar um momento de alegria para nós dois. Restou então a dor, o choro e o secar das lágrimas depois de muitos pedidos de desculpas.

Quem tem ciúme patológico enxerga uma realidade distorcida. Vê situações que não existem e fica cego diante de traições que nunca aconteceram. Desde o princípio, meu relacionamento amoroso foi pautado pela violência, e simplesmente aprendi a conviver com os pedidos de desculpas após cada rompante. Infelizmente, a água tépida não parecia ser perigosa.

Mas hoje reconheço que a pior escolha que fiz foi ter perdoado desde o primeiro tapa, pois ao primeiro sinal de agressão não tem volta, precisamos sair fora da relação. Perdoar um ato de violência pode ser o caminho para acontecer o pior.

* * *

Ao menor sinal de desentendimento, Miguel partia para o ataque. Certa vez, por uma discussão boba, chegou a arrancar o nosso filho ainda bebê do meu colo, me pegar pelo braço e me atirar na cama, sem dizer uma palavra. Mais uma vez uma horrível sensação de ser descartável e desprezível perpassou pelo meu corpo nessa ocasião, mas eu seguia acreditando que eu era mais forte do que aquilo. Treze anos se passaram, e o comportamento violento de Miguel gradativamente evoluiu. Um dia, um grito. Outro dia, um tapa. Em outro, um empurrão.

Viver condicionada à violência de uma pessoa com a qual estabelecemos uma relação de dependência emocional e financeira nos torna assustadoramente capazes de aceitar o inaceitável. Vamos nos encolhendo e até mesmo forçando a nossa percepção de mundo para encararmos atitudes horrorosas como normais. Eu mesma vivi anos acreditando que todo o resto que o meu ex-marido fazia, como o fato de ser o provedor da casa e ajudar na criação dos filhos, compensava o que ele me fazia de mal.

    Hoje em dia sabemos que há milhares de nós no país numa situação semelhante, que temem pela estabilidade e segurança de provisão para família, para os filhos, mas aqui já faço um alerta: nada disso compensa a nossa integridade física, moral e emocional. Não há justificativa, muito menos pode ser aceito qualquer sinal de violência, ainda que gestual ou verbal. Palavras podem doer na mesma intensidade que um soco.

Sinais de alerta

Constranger uma mulher publicamente ou mesmo quando não há outras pessoas por perto é uma agressão. Chamar uma mulher de sem-vergonha ou qualquer outro termo pejorativo é uma agressão. Um apertão no braço é agressão. E sempre começa aos poucos. Estejam atentas ao menor sinal. Porque sempre existem os sinais.

Sem você eu não vivo

Aguentei minha situação com Miguel por muito tempo – mas não deveria ter aguentado nem por um segundo –, até que finalmente decidi me separar.

Capítulo 3
Sem você eu não vivo

Digo finalmente pois já havia tentado duas outras vezes ficar separada dele por um tempo, afinal os episódios de violência me chacoalhavam na tentativa de me acordar e abrir os meus olhos para o que estava acontecendo. Foi assim no namoro e no casamento. Contudo, decidia depois tentar outra vez, presa numa fantasia do "ele não é assim, já se retratou, então vai dar certo".

É impressionante como a gente sempre tenta o máximo que dá. Mesmo sabendo, no fundo, que não daria certo, fiz o que muitas de nós fazemos: insisti no relacionamento, levada pela sedutora idealização que fazemos de nossos parceiros. Mas a situação chegou no limite e o fim da linha veio junto.

No final de 2018 nos separamos de uma vez. Quando isso aconteceu, por um momento acreditei que estivesse livre e que não teria mais de aguentar o que vinha aguentando havia tanto tempo. Por um breve período, vivi esses momentos de paz, me senti livre e pronta para viver uma vida plena, sem cobranças nem maus-tratos. A

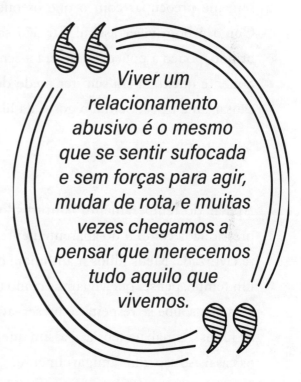

Viver um relacionamento abusivo é o mesmo que se sentir sufocada e sem forças para agir, mudar de rota, e muitas vezes chegamos a pensar que merecemos tudo aquilo que vivemos.

verdade é que ninguém merece nem deve passar por situações de violência, seja física, seja psicológica ou de qualquer outra natureza, em nome do amor. É preciso entender que numa situação dessas não há amor, apenas dor.

Eu estava livre e decidida a viver uma nova fase da minha história. Naquele momento eu queria me encontrar, me amar e ter uma vida tranquila com os meus filhos. Quando saímos de situações como a minha com meu ex-marido, muitas de nós não pensamos em emendar um novo relacionamento logo de cara para tentar refazer a vida ao lado de outra pessoa. Tudo o que queremos é ter o nosso espaço. E eu estava construindo meu espaço aos poucos, com o apoio de amigos, da minha família e, claro, dos meus filhos. Estava numa fase maravilhosa, sem me preocupar com o que os outros pensavam de mim. Como é bom viver assim! Eu não sabia, mas estava descobrindo, pouco a pouco, como era a sensação de poder ser exatamente quem eu era sem ter medo de desagradar alguém ou causar uma briga. Sentia o gosto da liberdade!

* * *

Apesar do temperamento conturbado de Miguel, fiquei impressionada como tudo aparentemente corria bem e de maneira civilizada. Meus filhos mantinham contato com o pai, e, por um tempo, pensei que vivíamos como um casal que se separou, mas que soube se respeitar e preservava aquilo que importava: os filhos. Afinal, na teoria, é assim que a vida funciona quando os casais se separam amigavelmente.

Antes do dia em que a minha vida mudaria para sempre, estávamos separados havia sete meses. Como no início tudo parecia estar dentro de uma normalidade, ele estava autorizado a ir até a minha casa para visitar as crianças. Nossos filhos o adoravam. Eles faziam programações juntos, brincavam, aprendiam novidades com o pai. Miguel frequentava nossa casa sem maiores problemas. Mas não demorou para que situações estranhas começassem a acontecer.

A tranquilidade fora apenas uma brisa passageira, pois logo as coisas começaram a mudar. Aquela calmaria e o respeito que eu acreditava haver construído com o meu ex-marido após a separação começou, aos poucos, a desmoronar. Os sinais sempre aparecem, mas muitas vezes nos rendemos ao cansaço do desgaste de relacionamentos tóxicos que nos impedem de enxergar, ou até mesmo preferimos fazer de conta que não os vemos, porque é mais fácil assim, não encarar.

A tortura dos interrogatórios e perseguições

Se você já passou por isso alguma vez na vida, sabe o quão desconfortável é ser interrogada e perseguida pelo parceiro, e ainda mais pelo ex, que não tem mais nada a ver com a nossa vida. E se já enfrentou ou está passando por isso nesse momento, saiba que se trata de um primeiro sinal de algo que pode piorar, então esteja atenta e busque proteção imediatamente.

Comigo aconteceu assim, repetidas tentativas desesperadas do meu ex-marido de controlar a minha vida. Primeiro, ele começou a me fazer perguntas sobre os lugares que eu estava frequentando. Depois, começou a querer saber por que eu estava fazendo uma coisa e não outra. E, claro, começou também a encher as crianças de perguntas. Devagar, essa situação foi crescendo, e aquele homem que a princípio parecia ter mudado e entendido que a nossa história tinha acabado começou a se transformar num homem que não aceitava a separação. Ele queria reatar nosso relacionamento a todo custo.

Em uma noite comum, eu estava em casa e o telefone tocou. Era ele. Um pouco alterado, ele me disse: "Você não tem vergonha? Fica se agarrando com um homem velho em um restaurante público? Pense nos nossos filhos!". Eu ri, incrédula, e respondi: "Claro, Miguel, estava sim, com certeza! Aliás, ainda estou agarrada, mas só se for com a almofada do meu sofá. Estou em casa, seu louco".

Quando somos agredidas de alguma forma, por meio de acusações verbais como essa que aconteceu comigo apesar de já estar separada, nossa primeira reação geralmente é instintiva. Começamos a revidar na tentativa de nos defender dos insultos que são capazes de ferir tanto quanto um tapa. A explosão de raiva e o ressentimento causam dor e, consequentemente, cegamos diante dos sentimentos negativos, passamos a ficar vulneráveis a quaisquer ataques. Então o pior acontece: não percebemos que o perigo é iminente na maioria das vezes.

Miguel me enviava inúmeras mensagens de texto me agredindo, em seguida me ligava pedindo perdão e fazendo mil e uma promessas de mudança. Essa situação se tornara constante. Para quem viveu ou vive uma situação de relacionamento abusivo, tenho certeza de que isso soa muito familiar.

Eu me perguntava diariamente quando teria minha paz de volta. Eu queria ser feliz, e só pedia ingenuamente para ele aceitar que tínhamos terminado e me deixar seguir com a minha vida. Mas quanto mais eu pedia, mais ele se fortalecia e mais a raiva dele aumentava.

Aos poucos, ele também começou a ligar para as pessoas próximas a mim; falava para elas que me amava e queria voltar comigo, mas que eu não queria. E acusações como a daquela noite aconteceram várias vezes. Hoje sei que já eram vestígios da obsessão do meu ex-marido. Ele sempre fora ciumento, é verdade, mas jamais pensei que chegaria ao ponto em que chegou.

Um novo amor ameaçado

Miguel me seguiu incontáveis vezes. Queria saber onde eu estava, com quem estava, com quem eu me relacionava. Ele parecia não ter mais vida própria. E a situação se agravou quando engatei um novo relacionamento.

Pedro representava para mim uma nova chance, um recomeço, uma nova vida. Eu estava muito empolgada com o nosso namoro depois de tanto sofrimento que deixara para trás. Sempre fui alegre, amei a vida. Mesmo com um ex-marido problemático, trabalhando muito e tendo que me desdobrar com as crianças, eu era feliz e queria aproveitar as coisas boas que a vida me proporcionava. A essa altura, Miguel já não via os filhos com muita frequência. Ele realmente estava obcecado por mim, e os filhos não lhe importavam mais. Mesmo com meu alto astral, essa obsessão parecia pesar dentro de mim... algo me puxava para baixo.

Mas eu estava decidida a reescrever a minha história e ninguém haveria de me impedir. busquei superar todas as adversidades de um relacionamento doentio que vivi no passado, e aproveitei muito o início do meu novo namoro. Meus filhos se davam muito bem com o meu novo parceiro e a vida parecia seguir seu curso normalmente.

Eu acreditava que, em algum momento, Miguel superaria nosso término e seria feliz também. Por outro lado, eu tinha certeza de que dentro dele só havia tristeza e angústia. Ele precisava se libertar, encontrar um caminho bom. Mas, infelizmente, não foi o que aconteceu.

Sinais de alerta

A perseguição de qualquer natureza é uma agressão à mulher. Ligações frequentes interrogando onde e com quem está é uma coerção. Ligar para familiares e amigos para extrair informações da parceira ou ex-parceira é um sinal de controle. Seguir publicamente ou mesmo quando não há outras pessoas por perto é um sinal de abuso. Estejam atentas ao menor sinal. Porque sempre existem os sinais.

Sexto sentido

É possível que alguém que você conheça ou até você mesma já tenha vivido ou esteja vivendo neste momento algo parecido. Mas não desanime, pois sempre podemos escolher viver.

Capítulo 4
Sexto sentido

No passado, cheguei a acreditar em muitos momentos que eu merecia mesmo viver tudo isso. Como se fosse uma sina. No entanto, o tempo, que se incumbiu de trazer o autoconhecimento e a maturidade, foi tratando de me conduzir para fora desse fosso autodestrutivo, pois afinal ninguém merece passar por quaisquer situações de violência.

Ao encarar a separação e ir em busca da reconstrução da minha vida, comecei a me abrir para um universo de maior espiritualidade e reconexão comigo mesma. Para encontrar felicidade e paz, eu tinha que encontrar algo que me trouxesse conforto, me fizesse entender tudo o que eu estava passando como um ensinamento, e não como algo que eu merecia ou que devia suportar. A paz pode, sim, ser encontrada dentro da gente, basta acreditar.

Eu acreditei. Com a minha fé, uma chavinha virou na minha cabeça. Passei assim a desejar o bem do Miguel, pedir para que ele encontrasse um caminho de luz e se libertasse daquele sentimento doentio que só nos causava dor, tristeza e violência. Eu desejei, muitas vezes, que a vida dele fluísse como a minha estava fluindo.

Eu acredito que quando desejamos o bem, colhemos o bem.

Ao fazer e desejar o bem, eu me libertava cada vez mais daquele passado de tristeza e violência. Uma nova mulher nascia. Quando isso acontece, outras coisas boas começam a acontecer também. Eu estava rodeada de gente que me amava, me queria bem e me fazia feliz. Foi nesse momento que o Pedro apareceu na minha vida. Eu estava com o coração pronto para receber amor, então me apaixonei. Estava feliz e vivendo uma vida tranquila e cheia de paz, como nunca imaginei que pudesse viver.

Quando me separei do Miguel, eu me sentia livre e feliz, mas ao mesmo tempo me via sem perspectiva de embarcar numa outra relação amorosa. Achava que não valia a pena correr o risco de reviver tudo o que passei com o Miguel. Eu não queria. Mas é como dizem, quanto mais nos sentimos completas, mais o caminho se abre para que o novo entre em nossa vida. E foi assim que o Pedro apareceu para mim. Percebi que com ele as coisas seriam diferentes. Depois de tudo o que eu tinha passado, não permitiria mais que as pessoas me tratassem mal ou decidissem por mim o que eu podia ou não fazer. Senti que Pedro era diferente, não tinha a menor intenção de me dominar.

Se Miguel aceitou? Obviamente que não. Para o meu ex, assim como acontece em muitos casos, a felicidade longe dele era algo inconcebível em sua mente. Foi exatamente nessa época que ele começou a se transmutar em um ser ainda mais agressivo, violento e ameaçador. Tive medo. Mas não pensava que ele seria capaz de cumprir suas ameaças. Sempre acreditei que na vida a gente tem duas opções: ou se prende a tudo de ruim que acontece e não vive; ou entende que algumas coisas são ruins mas vão passar, por isso devemos seguir vivendo. Eu escolhi a segunda opção, buscando ao máximo não entrar no jogo do Miguel, não me abalar com as ofensas e as atrocidades que ele me dizia. Eu estava apaixonada. Decidi viver esse amor, não havia mais nada que me impedisse.

Eu lutava para que meu relacionamento com Pedro não fosse abalado por essas questões com meu ex-marido. Mas as ameaças aumentavam e começavam a chegar às pessoas que conviviam comigo também. Todo mundo já sabia quem era o Miguel e já via que ele tinha algum problema muito sério relacionado à violência, ao ciúme e à posse.

O prenúncio

A vida seguia seu curso e continuei apegada à esperança de que a situação com Miguel passaria. Ele uma hora ou outra iria cair em si e me deixaria tranquila para viver a minha vida, e ele viver a dele. Afinal, meses já tinham se passado!

Mas nada mudou. Pelo contrário, as abordagens do Miguel ficavam cada vez mais violentas, e aquela minha tranquilidade inicial estava indo embora de vez. Comecei a ficar cada vez mais apreensiva com a presença dele ou com as ligações.

Não havia mais limites nas atitudes do meu ex-marido. Em certa noite, não muito antes do dia que mudaria a minha vida para sempre, às três horas da madrugada meu telefone toca. Assustada, atendo a ligação pensando que poderia ter havido o pior, como um acidente ou algo assim. Mas, na realidade, era um prenúncio de que o pior ainda estava por vir...

"Alô?!?", uma respiração ofegante do outro lado da linha.
"De novo, Miguel, não acredito..."

> *"Você já sabe que amanhã vou no seu enterro, né? Você vai morrer, Nana... Eu já disse que prefiro te ver morta do que com outro homem."*
>
> *"Você está louco, Miguel?"*, disse, irritada. *"São três da manhã, me deixa em paz!"*

Desliguei o telefone bastante abalada, e daquele momento em diante comecei a temer ainda mais pela vida dos meus filhos e pelas pessoas que conviviam comigo. O que aquele homem seria capaz de fazer em nome desse "amor"?

Apesar de tantos alertas e do medo que começava a me assaltar, continuava cega. Incautamente, continuei vivendo sem buscar proteção judicial, nem havia tomado ainda nenhuma outra medida de segurança, permitindo que Miguel rodeasse a mim e as crianças. Meus alarmes internos permaneciam desligados. Sim, eu sei o quanto isso soa desesperador, e infelizmente reagi como a maioria das mulheres na mesma situação reage, mas é preciso acordar!

Acionando os alarmes

É muito comum que as pessoas que conseguem se libertar de um relacionamento abusivo passem logo em seguida a acreditar que o amor não é um direito. Viver um relacionamento desse tipo é doloroso e nos deixa marcas, muitas vezes difíceis de serem esquecidas. Mas felizmente elas podem ser ressignificadas para que possamos voltar a viver nossas vidas sem punições.

Minha relação com Pedro foi construída numa base sólida de muito amor e companheirismo, e por isso me sentia feliz e segura com ele. A confiança e liberdade que sentia ao seu lado me transmitiam a paz de que eu tanto carecia. E Pedro, sem saber, acabou me ajudando a acionar os meus alarmes internos. Finalmente, eu estava começando a abrir os olhos.

Eu custava a encontrar a resposta para tantas perguntas que pairavam em minha cabeça sobre o comportamento ameaçador de Miguel. Então continuava a repeti-las mentalmente, tentando encontrar uma saída que me confortasse. E, acredito que, de tanto pedir, consegui enfim me reconectar com minha intuição e uma intensa fé. Eram os sinais que sempre me guiavam.

A partir desse momento, vieram os sonhos, que mais pareciam avisos. Em um deles, havia uma pessoa desconhecida que me pedia para tomar cuidado com arma de fogo. Eu ouvia a voz dela, que passou a surgir em meus sonhos quase todas as noites naquela época e apelava para que eu me protegesse, mas que eu seguisse acreditando, porque eu teria uma vida feliz. Eram os alertas me sinalizando que eu precisava urgentemente me proteger de Miguel.

No começo, achei que pudessem ser apenas sonhos, pois pensando racionalmente o Miguel nunca tivera uma arma. Apesar do seu perfil violento, nunca o tinha visto com arma alguma, além de achar que ele jamais seria capaz de chegar a esse extremo.

No entanto, esses sonhos começaram a me inquietar. Afinal, o que tudo aquilo queria dizer? Os alertas do meu subconsciente iam e voltavam, e a mensagem era sempre a mesma: eu não podia deixar de me proteger e devia me afastar da arma de fogo.

Pedro acompanhava toda essa situação de perto, estarrecido. Então, certa noite, já bastante aflito, decidiu me gravar para me mostrar que eu não apenas sonhava, mas falava enquanto dormia! Quando ele me contou sobre isso, achei que pudesse estar brincando comigo, e que eu pagava para ver. Mas fato é que ele conseguiu me mostrar o que acontecia.

Dois sonhos "narrados" me causam arrepios até hoje. Em um deles, eu dizia que não conseguia sair de um quarto, pois estava presa na maca. Eu estava toda deformada. Em outra noite, eu dizia que precisava ir embora, tomar cuidado com o Miguel, pois ele me faria mal. Na realidade, meu ex-marido já me fazia mal há muito tempo...

Apesar de inexplicavelmente chocantes, esses eventos ocorridos em forma de sonhos me fizeram ficar atenta e acreditar que, no final das contas, eu estava sendo protegida por uma força maior que eu, mesmo não sendo uma pessoa religiosa.

Finalmente eu acionara os meus alarmes internos, e quando Miguel invadiu o condomínio em que eu morava naquela fatídica noite de abril de 2019, as peças do quebra-cabeça começaram a se encaixar.

Sinais de alerta

Ameaças verbais são um grande sinal de abuso e agressão à mulher. A tortura psicológica, que provoca distúrbios emocionais, de sono e consequentemente afeta a vida cotidiana, é uma agressão à mulher. Nunca subestime ameaças ou intimidações de qualquer natureza, pois são sinais de que medidas protetivas devem ser imediatamente tomadas.

Eu prefiro te ver morta

Miguel vinha mudando
cada vez mais
radicalmente de
comportamento.

Capítulo 5
Eu prefiro te ver morta

Algumas semanas antes daquele dia 9 de abril, ele mal queria saber dos filhos. Havia apenas espaço para aquela assustadora obsessão em querer saber a todo momento com quem eu estava e, o pior de tudo, as ameaças de morte não pararam. Ele ameaçava matar não só a mim, mas quem quer que tentasse me fazer feliz, afinal, eu só poderia ser feliz ao lado dele e de mais ninguém – infelizmente frase mais comum do que imaginamos.

A realidade ia ficando cada vez mais ameaçadora, e eu estava vivendo um verdadeiro terror. Àquela altura, já ficara sabendo que ele mantinha um punhal no carro. Passei a temer a presença dele, pois não acreditava mais que estivesse em seu juízo perfeito. E se ele tentasse fazer alguma coisa com aquela faca?

Não soube disso naquela época, mas pouco tempo depois que tudo aconteceu me contaram que, na realidade, no lugar daquela arma branca, ele havia arranjado um revólver em uma feira do rolo da nossa cidade.

Os sonhos definitivamente não eram apenas sonhos. Eram avisos.

* * *

Já era tarde quando Miguel chegou ao condomínio em que eu morava com a arma em mãos e uma única ideia na cabeça: matar o Pedro e me matar. Ele queria a todo custo me impedir de ser feliz sem ele. Miguel estava completamente fora de si, e infelizmente havia muito tempo.

Ele chegou ao condomínio por volta de cinco horas da tarde. Conseguiu entrar pelo portão da garagem dos fundos, onde não havia portaria e o acesso era liberado pelos próprios moradores apenas por meio de controle remoto. Provavelmente se aproveitou da entrada ou saída de algum morador e invadiu o condomínio.

Miguel entrou e esperou para agir, talvez criando coragem para fazer o que tanto havia dito que faria. No final daquela tarde, meu ex-marido mandou mensagens aos amigos, à família dele e à minha, aos nossos filhos, despedindo-se, dizendo que ia se matar e pedindo perdão. Para alguns, ele falou que iria me matar e também o meu namorado Pedro; para outros, somente que tiraria a própria vida.

"Silvana, tudo bem? Deixa eu falar uma coisa pra você. É, você sempre atenciosa, você sempre cuidadosa, sempre cuidando da nossa família. E eu sei que ninguém melhor que você sabe tudo o que eu fiz pela Nana, e você sabe quem era a Nana. Então, assim, hoje é um dia muito triste, porque eu estou fazendo uma coisa muito feia, muito triste, mas a Nana... Ela não fez nada de mais, ela simplesmente escolheu um outro homem. Mas eu não consigo absorver isso, eu amo ela tanto, eu quero ela tanto, que para ferir eu fiquei com a amiga dela. E ontem eu fui na amiga dela e larguei da amiga dela, a Joana. E hoje eu vi uma foto dela no Face com o cara, e isso me feriu muito. Enfim, tudo, tudo, um conjunto. Eu não consegui absorver, eu resolvi tirar a minha vida e peço a você que leve as crianças juntas, aproveita que você é uma pessoa estruturada, você é financeiramente estruturada, leva os dois para morar com você. Coloca numa escola, não precisa ser particular, coloca numa escola pública. Já conversei com vários amigos meus, estou deixando o meu carro, eles vão vender e colocar em uma conta pra dona Lúcia. Não tenho bens, vocês sabem que eu sou duro. Tem mais 16 mil reais de obra que eu fiz. Coloca em uma poupança e não deixa faltar nada para os dois, só isso que eu te peço. Se tiver que colocar os dois no psicólogo, coloca. E explica que todo mundo um dia morre, e eu escolhi morrer neste dia. Tá bom? Um beijo. E... valeu aquele dia que eu pude ajudar você, tá bom? E vocês vão ficar aí e a vida vai seguir, eu não tenho mais estrutura. Hoje eu pensei em pular do prédio que eu estava trabalhando, mas iria ser pior, pois iria prejudicar muito a pessoa. Então eu resolvi sair do prédio, estou tomando cerveja desde as quatro horas, parei, eu estou aqui dentro do estacionamento da Nana, só esperando o melhor momento. Tá bom. Já conversei via Whatsapp com um monte de gente, estou deixando no modo avião para quando eu for fazer, eu mandar mensagem para todos. Vocês sabem que eu nunca fui viole... é... uma pessoa do mal. Com a Nana, violento às vezes, porque ela me tirava do sério, mas a porcentagem do bem é muito acima do mal. Durante treze anos eu fiz ela muito feliz e acatei todas as vontades dela. Só que ela acabou comigo".[2]

---

2. Transcrição do áudio enviado pelo ex-marido da Yannahe à tia dela por aplicativo de mensagem horas antes do atentado. (N.E.)

A sua hora chegou

Às oito horas da noite, toda a tragédia começou. Enquanto eu escutava os áudios que ele tinha enviado para os nossos filhos, Miguel apontava a arma para a cabeça do nosso porteiro, berrando para que ele abrisse o portão de acesso para o edifício em que morávamos.

A essa altura, todo o condomínio se alarmara, e meus filhos, em pânico, saíram em disparada na minha frente antes que eu pudesse detê-los. Eles queriam aplacar a fúria do próprio pai. Choravam desesperados pedindo para que ele parasse, mas nada adiantou. Miguel empurrou nossos filhos, varrendo-os do caminho para continuar a sua caçada contra mim, e naquele exato momento eu soube o que tinha de fazer: proteger a minha família. Eu só pensava em salvar os meus filhos.

Miguel se comportava como se estivesse fora do ar. Foi assim que o encontrei na entrada do prédio quando finalmente cheguei, sem nem me dar conta direito de que tinha voado pelos seis andares de escada até eles. Meu filho Murilo, então com dez anos, segurava o braço dele e dizia: "Pai! Aqui é o seu filho, eu te amo! Pelo amor de Deus, pai!". Miguel ria e esbravejava ao mesmo tempo, quase como se sentisse prazer na reação do próprio filho.

"Não estou te reconhecendo, Miguel!", disse a ele, em estado de choque. "O que aconteceu com você!? Espera aí, o que você vai fazer!?".

"Você não vai ser feliz sem mim, Nana!", Miguel urrava.

Foi a única coisa que meu ex-marido falou antes de me agarrar violentamente pelo braço e começar a me arrastar da portaria para o interior do prédio, aos berros, dizendo que iria acabar com a minha vida e com a do meu namorado. Alucinado, apertou o cano da arma na cabeça do porteiro para que ele abrisse a porta do bloco, pois a tranca abria somente pelo lado de dentro.

Quando o clique soou, indicando que o portão estava liberado, consegui no último segundo bater o portão pelo outro lado para que ele trancasse novamente, impedindo assim que ninguém mais passasse para o nosso lado. Era um caminho sem volta, uma trajetória só de ida. Mas eu não podia morrer.

***

As crianças ficaram com o porteiro. "Graças a Deus", pensei. Até hoje não sei se, em sã consciência, Miguel faria mal aos próprios filhos, mas naquele dia não havia o menor vestígio de normalidade em seu comportamento. Eu não o reconhecia, suas falas eram desconexas, seu semblante distorcido. Ele sustentava uma feição bizarra, demonstrando estar completamente fora do controle de sua mente. Nunca tinha visto aquela imagem no rosto dele. Tudo aquilo era surreal para mim, por mais que muitas vezes ele tivesse reagido de modo estranho e abusivo. Daquela maneira que ele ficou, eu nunca havia imaginado nem em meu pior pesadelo.

O que se seguiu, bizarramente, parecia uma corrida de gato e rato atrás da porta certa do apartamento em que eu morava. "Não é aqui", eu dizia. "Ah, é aqui", e ele descia. Aparentemente, ele ainda não havia percebido minhas ações para tentar enrolá-lo. Subíamos um andar, descíamos dois. Subíamos mais um e depois descíamos novamente. Miguel estava tão alucinado que não percebeu essa distração por um tempo. "Em alguns minutos a polícia vai chegar", eu pensava.

Nessa caça desenfreada, ele foi arrombando várias portas e deixando um rastro de destruição. Em algumas, ele atirou, em outras meteu o pé até que arrebentassem ao meio. Pensei que a arma poderia descarregar a qualquer momento até chegarmos ao apartamento. Com sorte, não sobrariam balas para matar ninguém. O revólver me apavorava. "Ele vai chegar lá em cima sem nada, se Deus quiser!", pensei.

Apesar de Vittsa e Murilo terem ficado na portaria com o nosso porteiro, eu tentava encontrar um jeito de ganhar tempo para que minha família chegasse e os levasse embora dali. Eu não queria de maneira alguma que eles vissem nada daquilo. E ainda havia a Mariana, minha prima que viera nos visitar naquele dia, escondida com Pedro no apartamento dele. Meu namorado e eu morávamos no mesmo condomínio, mas em torres e andares diferentes. Por sorte, Miguel não sabia disso, mas outro pensamento não me abandonava: "Eles precisam sair daqui agora". O frio que percorria minha espinha irradiava por todo o meu corpo.

Estávamos chegando no último andar, o sexto, onde ficava meu apartamento. Parecia o fim da linha, pois eu não conseguiria mais enganar Miguel. Apesar daquela realidade que se apresentava diante dos meus olhos, eu tentava dissolver da mente a certeza de que ele iria me matar. "Se ele atirar em mim, meus filhos não podem ver", disse a mim mesma, tentando controlar a respiração.

* * *

Em meio àquele pesadelo interminável, tive uma intuição: Miguel queria matar o Pedro primeiro. E queria que eu presenciasse o crime. Esse era o objetivo final. Pedro e Mariana seguiam trancados no apartamento dele, onde poucos minutos antes cozinhávamos o jantar, em um corriqueiro dia de semana. Foi naquela hora que meus filhos vieram correndo de casa, dizendo: "Mãe, o pai vai se matar". Até hoje imagino o terror que eles sentiram ao ouvir o áudio de Miguel despedindo-se deles e pedindo desculpas por ter tomado a decisão de tirar a própria vida.

Um sentimento de alívio me tirou por um instante daquela situação apavorante, ao pensar que tinha feito tudo o que podia para proteger a minha família. Repassei mentalmente cada momento, desde a hora que tentei tranquilizar meus filhos após terem recebido o áudio final do pai deles, dizendo a ambos que aquilo não aconteceria, que eu iria até a casa do pai deles para conversar, até quando, antes de sair em disparada para a portaria para acudir meus filhos, falei para a Mariana: "Sobe, se tranca no apartamento com o Pedro e não abre aquela porta por nada no mundo". Foi naquele exato momento que percebi que aquele não seria apenas mais um dia comum de semana.

Seria o dia da minha morte? Não! Seria o dia de seguir em frente. Isso já estava decidido. Porque eu escolhi viver.

Não foi só um tiro de raspão

A sensação é a de que se passaram várias horas, mas na realidade foi apenas o tempo dos policiais chegarem no endereço indicado pelo telefonema.

Capítulo 6
Não foi só um tiro de raspão

Naquele show de horror no qual eu era mantida refém, Miguel entrou num apartamento vazio que estava para alugar e começou a vasculhar tudo, gritando: "Eu sei que ele está aqui! Onde ele está!?"

Minhas pernas começavam a vacilar quando finalmente enxerguei da janela do apartamento o giroflex da polícia. "Graças a Deus!", pensei. De lá, gritei para os meus filhos e para o porteiro: "Abram o portão pra polícia, porque eu tranquei! Eles precisam entrar antes que ele me mate!".

Eu finalmente tinha certeza de que meus filhos estavam realmente fora de perigo. Mas ainda havia Pedro e Mariana, e eu não podia permitir que Miguel chegasse até eles. Quando ouvi o barulho dos policiais subindo as escadas e gritando que iriam invadir o perímetro, comecei a rezar em silêncio: "Deus, por favor, eu tenho que viver, eu tenho que viver, eu preciso viver. Não permita que nada aconteça com o Pedro e a Mariana".

Eu poderia ter fugido, mas não queria correr. Não queria fugir, queria evitar que ele abrisse o apartamento onde estavam Pedro e Mariana. Miguel não me segurava, ele me empurrava escada abaixo, todo o tempo me empurrava. Não adiantaria eu escapar e me salvar se ele encontrasse o apartamento com os dois. Ele mataria o Pedro e a minha prima.

Eu não sei o que aconteceu, o que passou pela cabeça do Miguel, mas quando percebeu que eu gritava para a polícia entrar, ele tentou fugir. Desceu, passou por mim como se eu não estivesse ali, totalmente transtornado. Correu pelas escadas e deu de cara com os policiais, dois andares abaixo. Disparou a arma para cima e voltou acelerado em minha direção, tropeçando e em seguida caindo pelas escadas. Nem mesmo esse alvoroço o deteve, e inacreditavelmente haviam restado duas balas naquela maldita arma.

"Olha o que você fez!", gritou ele, apontando a arma para mim.

"No rosto não, Miguel! Por favor!"

Coloquei as mãos no rosto e instintivamente virei de costas. Então tudo escureceu.

* * *

Não sei quanto tempo fiquei caída no chão, na escuridão completa. O mais surpreendente é que eu ainda estava consciente, apesar de não ouvir o que aconteceu em seguida. Não ouvi mais a voz do Miguel, e nem mesmo o segundo tiro, mas pressenti que ele pudesse estar morto. Por mais estranho que pareça, naquele momento eu nem sequer havia me dado conta de que tinha tomado um tiro.

Ouvi passos. Muitos passos. Os policiais procuravam nos andares inferiores, mas não nos encontravam. Minha voz não saía da garganta, e eu não conseguia enxergar nada. Estava com muita dificuldade para me mexer, tinha dúvidas se meus olhos estavam abertos ou fechados. Gritei por socorro muitas vezes, mas nenhum som saiu da minha boca.

"Deus, eu sobrevivi a um tiro na cabeça e vou morrer aqui por não conseguir pedir socorro por falta de ar? Isso não!"

Depois de tentar gritar desesperadamente com todas as forças que meu corpo ainda tinha, finalmente consegui sussurrar: "Socorro! Socorro!".

Foi a Mariana quem primeiro conseguiu me ouvir. "A Nana está viva. Ela está viva!", gritou para Pedro. Em seguida, senti dois braços me segurando. Uma voz firme, um pouco tensa, surgiu: "Fica tranquila". Pedro me deu um beijo no rosto e repetiu que ia ficar tudo bem, que a polícia já estava subindo. Aos sussurros, perguntei ao Pedro: "Eu estou com meus olhos abertos ou fechados?".

Quando ele respondeu, tive muito medo. "Estão abertos". Pedro se deu conta da gravidade da minha situação e começou a gritar: "Estamos no sexto andar, corram! Ela precisa de ajuda". Logo a polícia chegou. O policial se aproximou de mim e me disse para ficar calma: "Você provavelmente levou um tiro de raspão, mas fique calma. Não é nada grave. Não pode ser, ou você não estaria consciente. Vamos imobilizá-la e levá-la para fora. A cena aqui não é nada agradável, precisamos sair daqui imediatamente".

Imobilizar? Eu queria sair dali andando sozinha. Mas ninguém deixou. De raspão? A bala está dentro da minha cabeça. Como eu estava consciente e querendo andar era algo inexplicável. Essa seria a primeira das várias reações sem explicação apresentadas pelo meu organismo. Mas tudo ainda estava completamente escuro.

Fui carregada pelas escadas até uma ambulância que havia sido acionada para um caso de "tiro de raspão". Ainda não havia socorristas, apesar de ter muitas viaturas de polícia por ali.

A essa altura, um enorme alvoroço já havia se formado na rua. Vizinhos, segurança local e até a imprensa chegara.

Mesmo sem poder enxergar, a audição estava intacta. Ouvi comentários diversos:

"Só pode ter sido de raspão. Com um tiro assim, ela não sobreviveria."

"Era pouco sangue, mas parece que havia algo saindo da cabeça dela. Aquilo era massa encefálica?"

"Você ficou louco? Não pode ser. Está querendo dizer que ela perdeu pedaços do cérebro e está ali, viva e falando?"

Esse assombroso diálogo na verdade apenas narrou o que de fato acontecera naquele momento. No chão das escadarias daquele condomínio haviam ficado fragmentos do meu cérebro, que saíram pelo rombo aberto em meu crânio pela bala.

Como estou viva e contando essa história hoje, ninguém soube explicar até agora. Eu sei que é de arrepiar, mas o que posso dizer é que talvez não exista mesmo uma explicação. Eu apenas queria viver.

* * *

Enquanto esperava na ambulância com os enfermeiros, ouvi minha filha gritar: "Deixa eu ver a minha mãe! Deixa eu ver minha mãe!". Nesse momento perguntei à pessoa que estava ao meu lado: "Eu estou morrendo? Me diz a verdade, porque se eu estiver morrendo, quero poder me despedir dos meus filhos". Ele pediu para eu ficar calma, que estavam ali para me ajudar e que iriam acalmar meus filhos. Ele se afastou e eu o ouvi dizer para eles se acalmarem, que eu só tinha levado um tiro de raspão no ombro.

Finalmente escutei a sirene da ambulância que trazia os socorristas, pois só acompanhada deles eu poderia sair dali. Assim que chegaram, agradeci por me colocarem no oxigênio, pois estava com muita dificuldade de respirar. Nele, havia um sedativo para me fazer dormir, mas inexplicavelmente aquilo me deixou ainda mais agitada, e a falta de ar se intensificou: "Tira isso de mim, não consigo respirar!". Graças a Deus o socorrista me atendeu e retirou o oxigênio. Nesse momento, ouvi o policial relatando o ocorrido para ele: "Encontramos a vítima totalmente consciente. Por sorte, o tiro pegou de raspão, mas ela diz que não enxerga nada. Sangrou, mas não muito. Havia algo estranho ao lado da cabeça dela quando chegamos, mas não sei o que era".

Infelizmente, eu não podia enxergar, mas sentia, na respiração do socorrista, um ar de desespero, incredulidade, pavor e excitação. Após meio minuto de silêncio, escutei sua voz trêmula: "Eu não sei o que está acontecendo aqui, mas não foi só um tiro de raspão".

Realizados todos os procedimentos, ainda consegui conversar com os socorristas. Cortaram minha calça jeans, enquanto perguntavam se eu tinha algum convênio. "Unimed", respondi. De repente, o socorrista no comando pediu para mudar a rota: "Ela perdeu e está perdendo massa encefálica!

Vamos correr para a Unicamp! Só lá pode ter alguém para explicar isso".

Senti uma dor aguda no peito, e a voz do socorrista foi ficando distante. A escuridão permanecia, mas agora eu parecia estar caindo em um buraco sem fim. Estava perdendo os sentidos. Segurei com as forças que me restavam um dos socorristas e disse: "Não me deixa morrer, por favor, não me deixa morrer".

Chegamos. Escutei o barulho de portas, passos, correria. O socorrista que me acompanhara na ambulância gritou um código. Mais correria. Então, escutei uma voz feminina dizendo: "Que pena, uma moça tão bonita".

"Estou morrendo mesmo, não tem jeito", pensei. Mais alguns segundos se passaram e meus sentidos se foram. Apaguei de vez. As vozes sumiram no meio da escuridão. Os passos também. Não ouvi mais nada.

Morte cerebral

Na sala de espera do hospital estavam Pedro, Mariana, meus filhos e alguns familiares.

Capítulo 7
Morte cerebral

O aviso da médica plantonista não era nada animador: "A situação é muito grave. Não sabemos como ela conseguiu chegar até aqui com vida. Algumas coisas a medicina não explica, mas ela não tem mais massa encefálica suficiente para comandar o corpo. É impossível sobreviver com a quantidade que restou. Além disso, as conexões cerebrais foram afetadas. Então, vamos fazer uma cirurgia craniana para a extração da bala e limpeza local, mas esse é apenas um procedimento padrão. É difícil dizer isso, mas ela não vai sobreviver. Eu sinto muito".

Aquilo caiu como uma bomba para a minha família. "Como assim ela estava falando com a gente e agora está morta? Morte cerebral, é isso mesmo?" Eles ficaram sem chão. Naquela sala do hospital da Unicamp, a morte parecia certa. Contudo, a cirurgia guardava surpresas.

Foram necessárias somente três bolsas de sangue na cirurgia, pois eu perdi muito mais massa encefálica do que sangue. O estrago que o tiro havia causado foi muito grande, pois a bala destruiu boa parte do meu crânio.

Havia muitos médicos naquele centro cirúrgico. E eu deveria estar completamente inconsciente pela sedação. Mas curiosamente consegui abrir os olhos, e, mesmo entubada, tentei dizer: "Gente, que coceira na cabeça". Eu estava enxergando. Ainda meio embaçado, mas enxergava. Consegui focar o rosto de dois médicos, e a expressão deles era de pânico completo. Parecia um filme de terror, o suspense crescendo até o fantasma aparecer e você sem conseguir gritar. A fisionomia dos médicos era a de quem estava vendo um fantasma. "Como é possível?! Não pode ser! Aumenta a sedação dela agora, vai!". Retornei à escuridão.

A cirurgia prosseguiu durante várias horas. No total foram mais de cinco longas horas para tentar estabilizar a minha atividade cerebral e os batimentos cardíacos, tudo com o auxílio de aparelhos porque, em teoria, meu corpo já não era capaz de manter sozinho as funções básicas. O cérebro não estava funcionando (pelo menos era o que os médicos acreditavam). Mesmo assim, a cirurgia foi um sucesso. Apesar de a equipe de neurocirurgiões ser uma das melhores do país, as chances de sucesso eram mínimas.

Quando a bala bateu no osso do crânio, ela se dividiu em três pedaços: um se alojou do lado esquerdo do cérebro, outro na jugular e outro rasgou a pele e saiu no pescoço. Segundo o histórico da medicina de casos como esse até então, eu ficaria em estado vegetativo na UTI até que o corpo parasse de funcionar. O protocolo médico dizia que, se eu não morresse antes, deveria ficar pelo menos sessenta dias sem atividade cerebral para reduzir o edema cerebral. O acúmulo de líquido era uma das maiores preocupações, e, além de tudo, a bala não havia sido removida. Retirá-la significaria perder o que havia restado de massa encefálica dentro da minha cabeça. O cérebro deveria desinchar e se acostumar com aquele corpo estranho para que, na melhor das hipóteses, eu ficasse em uma cama para o resto da vida.

Fui para a UTI, para um quarto completamente equipado, monitorado e controlado. As visitas eram poucas, pois qualquer risco mínimo de infecção poderia ser fatal. O prognóstico era de que eu nunca mais acordaria e retomaria a consciência. Mas não foi o que aconteceu.

Adeus, coma induzido

Quarenta e oito horas depois da cirurgia, abro os olhos. Um gosto insuportável de álcool e plástico na minha boca. O que está acontecendo? Que lugar é esse? Ouvia um *bip*, exatamente como acontece nos episódios de séries médicas de TV. Aos poucos, fui sentindo meus membros. Tentei mexer os dedos. Era difícil, mas eu os sentia. As pernas ainda estavam totalmente dormentes. A respiração, a visão e o olfato funcionavam. E parecia que estavam mais aguçados. Aliás, o que estava me atrapalhando de respirar era aquele tubo enorme na minha boca. "Pra que isso?", pensei. Me concentrei no movimento e ergui o braço até o tubo. Segurei firme e puxei. Doeu muito, mas a respiração fluiu, finalmente. Correria à minha volta, um enfermeiro tentando me acalmar, pois fiquei muito assustada. A retirada brusca do tubo fez sangue escorrer, e não vi mais nada, provavelmente me sedaram de novo.

Lembro que depois alguém chegou ao lado da cama e falou: "Meu Deus". Foi um "Meu Deus" bem assustado. Eu fiquei desesperada com isso, então pensei: "Será que arrebentou o meu rosto? Será que estourou todo o meu rosto? Eu preciso de um espelho, eu quero um espelho". Apesar do meu desespero, meu corpo não me obedecia, eu não conseguia falar, não conseguia me mexer, eu estava presa dentro da minha mente.

Eu escolhi viver

Foi torturante passar por aquele momento. Por estar muito agitada, acabei sendo amarrada naquele leito de hospital, outra experiência desesperadora, porque detesto me sentir presa. Não conseguia fazer nada, nem trocar de posição, fiquei bastante tempo amarrada (para mim, pelo menos, pareceu uma eternidade).

***

Perto de eu sair do coma induzido, o Pedro colocou uma música que amo muito. Ele disse que eu sorri. Quando já estava mais consciente, ficando mais tempo acordada, me lembro do cirurgião vindo falar comigo. Ele me pediu para trazer um padre, para rezar por mim. Por um segundo pensei: "Mas já me sinto melhor. Será que é a melhora da morte, como os antigos diziam?". O médico me perguntou: "Você tem ideia do que aconteceu aqui?". Eu respondi que sim, achei que ele estivesse falando da cirurgia. Ele me disse: "Eu acho que não, acho que você só terá ideia disso mais tarde, mas você é um milagre". O padre veio e rezou por mim. Chorei muito naquele momento, pois sentia muita gratidão por estar viva.

O médico explicou que meu cérebro estava funcionando normalmente, como se a bala alojada fizesse parte dele. Sem tomar morfina na veia, nenhum ser humano

[...] *acho que você só terá ideia disso mais tarde, mas você é um milagre.*

aguentaria. O mais incrível era o médico me explicando que eu deveria estar em coma naquele momento, mas não estava. E sem nenhuma explicação conhecida para justificar o porquê.

Ainda não havia percebido quanto tempo se passara, mas me lembro de, em outro momento, ter observado um fisioterapeuta que acompanhava um paciente em uma caminhada na ala hospitalar em que eu estava. Então o chamei: "Moço, por favor, eu posso começar a fazer fisioterapia? Eu quero voltar a andar". Para a minha frustração, ele disse que não, ainda não estava na hora. Mas eu não desisti, sabia que eu conseguiria sair daquela cama. "Por favor, me deixa tentar", insisti. Com isso, ele disse: "Ok, mas vamos até ali; são poucos metros. Mas vamos combinar que se você não conseguir, vou te trazer de volta para a cama e você vai ter que ter paciência e esperar até ficar pronta para voltar a andar, tudo bem?". Concordei. Caminhei com bastante dificuldade, mas consegui. Tinha uma porta grande próxima de onde eu estava. Consegui ver o sol de lá. Foi um momento incrível para mim, ver o sol, um momento muito feliz, me senti viva de novo.

A previsão era de sessenta dias de internação após a cirurgia, mas, passada uma semana, quando saí da UTI para o quarto, eu pedi alta. O médico quase caiu da cadeira. E até hoje ninguém acredita que agi dessa maneira. Consegui convencer o médico e tive alta, depois de fazer todos os exames necessários e constatar que eu estava viva só por um milagre.

Estou viva, sim, e muito!

Levanta, sacode a poeira e dá a volta por cima. Era esse o meu sentimento após acordar do coma para a vida.

Os médicos não acreditavam na minha reação. Eles mal acreditavam que eu sobreviveria, então era natural que eles não acreditassem nos próprios olhos ao me ver querendo dominar o mundo assim que despertei.

Não importava muito para mim, naquele momento, quem acreditava ou não que eu estava viva. A única coisa que eu queria era sair daquele hospital, retomar a minha vida e seguir adiante. Para não dizer que nada me afligia, quando acordei eu estava inquieta porque queria ver meus filhos, saber como eles estavam e, principalmente, confortá-los pelo que passaram.

Eu me lembrava de tudo, de como as coisas aconteceram naquele fatídico dia. Eu sobrevivi, Miguel não. Só consegui sair do hospital depois de ter feito muitos exames e me comprometido com o médico a continuar tomando o antibiótico, além de, claro, garantir que eu ia levar a vida com calma.

A volta para casa foi cercada de espanto e alegria de todos os meus familiares e amigos. Se nem a medicina tinha visto um caso clínico como o meu, imagina explicar para as pessoas como alguém que levou um tiro bem no meio da cabeça chegou em casa andando e falando na semana seguinte ao dia em que foi praticamente dada como morta.

Obviamente, eu estaria mentindo se dissesse que foi um processo fácil e indolor. Longe disso. Entre os desafios que eu tive pela frente, as dores talvez tenham sido o pior, pois eram infernais e, segundo os médicos, poderiam persistir por anos a fio. Por isso que, logo no começo, cheguei até a pensar que não tinha sido uma boa escolha pedir para voltar para casa, pois as dores de cabeça eram muito mais do que insuportáveis. No hospital, lembro de poder tomar morfina na veia com frequência para poder suportar, mas em casa as medicações via oral eram outras. Parecia que a pressão que sentia no crânio faria a minha cabeça explodir a qualquer momento. E o medo de bater a cabeça então? Não poderia nem imaginar uma coisa dessas.

Meu primeiro banho em casa foi quase uma tortura, pois tocar na cabeça e no pescoço era desafiador. Ambos estavam muito sensíveis. Meu pescoço parecia estar pegando fogo. As sensações eram desagradáveis e misturadas com dor. Os médicos diziam que podia ser algum nervo que estava fora do lugar por causa do pedaço de bala que tinha afetado minha jugular. Além disso, às vezes minha visão embaralhava, mas a princípio eu não exigi muito dela.

Após o primeiro banho, fui tentar me maquiar, mas eu não conseguia me enxergar no espelho, não conseguia ver o lado esquerdo do meu rosto. O rímel ficou todo borrado. Me senti impotente por não poder fazer algo que sempre fiz com facilidade, sempre amei me maquiar. Por vários dias pedi para não ver ninguém.

Dormi sentada no sofá durante dez dias, porque quando deitava tinha a impressão de que o sangue inteiro subia para a minha cabeça e a pressionava. Se desse um espirro, a sensação que eu tinha era de estar andando em uma montanha-russa. E até um simples vento do ventilador parecia estar causando um vendaval dentro da minha cabeça.

Mas apesar de tudo o que passei nesse período de reabilitação, da dor que ainda é presente, o que me faz levantar e seguir em frente todos os dias é o fato de eu estar viva. Eu só posso sentir dor porque estou viva, graças a Deus. Eu tenho certeza de que escolhi viver. Deus me permitiu. Quando eu sinto a dor insuportável, recorro a medicações e vou dormir. Acordo bem melhor. Tem dia que é terrível, mas tem dia que é bem melhor. E assim eu tenho aprendido a conviver com ela, que é o meu maior desafio agora, mas desistir jamais.

Uma radiografia e um milagre

"Você não vai se mexer, provavelmente não vai falar nem enxergar."

Capítulo 8
Uma radiografia e um milagre

Era a sentença que eu tinha dos médicos quando ainda estava no hospital. Não acredito que me falaram isso naquela época por não estarem interessados na minha recuperação, mas na verdade eles não sabiam o que poderia acontecer. Simplesmente não havia histórico na medicina de um caso de paciente vítima de tiro na cabeça por arma de fogo, com perda de massa encefálica, que tivesse sobrevivido e preservado praticamente todas as principais funções do corpo.

Eu tinha um coma de sessenta dias pela frente, mas não completei nem dez dias de internação. Foram sete dias internada. Lembro que até teve enfermeira que brincou comigo, dizendo que tinha paciente com gripe que ficava por lá mais tempo do que isso.

A médica que me atendera em minhas consultas de retorno chorou na primeira delas quando me viu penteada, de batom na boca, falando e andando como se eu não tivesse passado por tudo o que passei. Não havia transcorrido um mês desde que tudo aquilo acontecera.

"Nana, eu não acredito que você está assim. Era para você estar na cama da UTI ainda, o prognóstico era irreversível, mas agora só posso dizer que você realmente é um milagre!", disse a doutora.

"Mas, doutora, não é possível que eu ia embora só porque alguém me deu uma sentença de morte aqui na terra! Porque eu duvido que foi Deus que me deu essa sentença, pois se Ele tivesse dado, Ele tinha me levado", respondi, enquanto ela ainda me olhava emocionada.

Será que a medicina explica?

É absolutamente compreensível que a minha história seja alvo de dúvidas e incredulidade. Por esse motivo, decidimos incluir neste livro a entrevista com o Dr. Bruno Bógea, médico que tem me acompanhado no hospital da Unicamp. O dr. Bruno gentilmente aceitou colaborar e contar, do ponto de vista científico, tudo o que aconteceu comigo.

Dr. Bruno, é possível afirmar que o caso da Yannahe é um milagre?

Sim. Algumas coisas podem ser explicadas pela ciência, e falaremos delas, mas há duas grandes questões que permanecem até hoje inexplicáveis nesse caso. A primeira é como o projétil de arma de fogo não atingiu áreas vitais do cérebro da vítima. Pela posição em que ela estava – de joelhos, sem nenhuma barreira e com a arma posicionada diretamente para sua cabeça –, a bala seguiria uma trajetória simples, devastando o crânio e o cérebro dela por completo e, consequentemente, ocasionando, se não uma morte instantânea, o óbito em poucas horas. Mas não foi isso o que ocorreu. A bala acertou uma região do cérebro que fica atrás da cabeça, um pouco abaixo da linha central do crânio, mas não penetrou em áreas vitais.

A segunda questão são as sequelas. A região cerebral desperta muitas perguntas que ainda não têm resposta. Sua fragilidade é enorme, porém seu poder de adaptação também é. Logo, qualquer impacto pode gerar danos que variam de pessoa para pessoa. Precisamos considerar o histórico genético, lesões anteriores e predisposições. A Yannahe teve sequelas mínimas e, mesmo que nenhuma área vital tenha sido atingida, a chance de ela ter outras complicações no futuro era muito grande, já que o impacto de um tiro de arma de fogo é enorme para uma região tão sensível. O cérebro sofre uma pressão intensa, pode se chocar com a parede craniana, que é a formação óssea de maior dureza do corpo humano, justamente porque ela serve como uma cápsula protetora.

Qual foi especificamente a área atingida pelo tiro?

A bala atingiu a região do lobo occipital. A principal função dessa região está relacionada à visão, ao processamento de imagens e a informações visuais captadas pelo olho. Por isso que uma das poucas sequelas que a paciente apresenta é uma pequena perda da visão periférica de um dos lados da cabeça. Quando pensamos no que aconteceu, essa é uma sequela mínima, totalmente adaptável e que praticamente não afeta a qualidade de vida dela. Se levarmos em consideração o histórico da medicina, a Yannahe deveria estar cega hoje. Repito que é importante ter muito cuidado com essas comparações, pois o médico deve considerar uma série de fatores específicos em cada paciente. Contudo, pelo tipo de lesão que ela teve, era esperado – e não seria nenhuma surpresa – que ela tivesse apresentado sequelas muito mais severas relacionadas à visão, inclusive perda total.

Além dessa pequena perda de visão, quais foram as outras sequelas apresentas pela vítima?

Após o incidente, a paciente desenvolveu epilepsia, uma patologia em que ocorrem perturbações na atividade das células nervosas do cérebro, causando convulsões. Há poucos sintomas entre os episódios de convulsão, por isso o diagnóstico nem sempre é tão simples quanto parece. É importante salientar que a convulsão não é só aquela que normalmente se conhece, na qual a pessoa perde totalmente a consciência, debate-se, normalmente deitada, revira os olhos e enrola a língua. Essa, na verdade, é a pior situação convulsiva. Mas existem outros quadros menos severos que também são convulsões. Por exemplo: perder a visão e a consciência parcialmente enquanto se está sentado, realizando alguma atividade; perder a consciência em um período específico por alguns minutos, inclusive enquanto dorme. Às vezes, algumas dessas convulsões são atribuídas a desmaios, pesadelos ou crises de ansiedade, mas na verdade são pequenas convulsões, ou seja, distúrbios na atividade cerebral. No caso da Yannahe, possivelmente já havia uma predisposição à epilepsia, que foi desencadeada pelo trauma ocorrido em seu cérebro.

Geralmente, a epilepsia é tratada com medicamentos e, em alguns casos, cirurgia, dispositivos ou mudanças alimentares. No caso da paciente, hoje a doença está controlada. No início, na primeira medicação prescrita, ela apresentava episódios depressivos, tristeza profunda e constante desânimo em decorrência do medicamento, e isso dificultava suas atividades diárias. Yannahe é uma mulher alegre, de bem com a vida, e toda aquela situação era muito pesada para ela. Então, ela decidiu parar de tomar a medicação por conta própria, e aí começou a sofrer com crises mais fortes e recorrentes.

A epilepsia poderia ter sido evitada de alguma maneira?

Não. Mas ela poderia, sim, ter sofrido menos com ela. Parar com a medicação foi um fator muito preocupante. Na verdade, até poderia ter sido pior. Se tivéssemos trocado desde o início a medicação, provavelmente ela teria sofrido menos. Teria evitado, inclusive, algumas crises sérias, que poderiam ter sido mais amenas, mais espaçadas ou sequer ocorrido. Por isso, seguir o protocolo médico é sempre o mais indicado. Não devemos contar com a sorte ou com o fator extraordinário. Ele pode ocorrer, como vimos aqui e em vários outros casos, mas deve-se sempre seguir os protocolos médicos, que existem justamente para evitar complicações ou diminuir as chances de ocorrerem. Epilepsia é uma doença séria, bastante grave, mas que hoje é perfeitamente controlável, graças ao avanço da medicina e da área farmacêutica.

Na sua opinião, qual é o fator mais impressionante deste caso?

Eu diria que todo ele é impressionante! (Risos.) Se eu não conhecesse a Yannahe, dificilmente acreditaria na história como realmente aconteceu. Mas o que mais me impressiona até hoje é a capacidade de superação e a motivação dela. Como pode uma mulher que passou por tudo o que ela passou ser tão feliz, confiante e grata à vida? Percebi que, na minha trajetória como médico, muitos pacientes que estiveram entre a vida e a morte valorizam muito mais a vida, cada dia e cada experiência, pois entendem que poderiam não mais estar vivas. Mas a Yannahe tem uma gratidão tão grande por isso tudo, uma vontade de viver. É claro que, como todos nós, ela tem seus dias de insegurança, tristeza e solidão.

Somos todos seres humanos, ou seja, vulneráveis em menor ou maior grau, independentemente da nossa experiência de vida. O mais importante dessa história toda é a alegria de viver que ela tem, seu vigor para se relacionar com as pessoas, aprender coisas, estar viva.

Dr. Bruno, alguns jornais da época mencionaram o caso como "um tiro de raspão". Outros alegaram que Yannahe deu entrada no hospital com morte cerebral ou algo parecido. Qual foi a real situação daquele dia? Alguma dessas nomenclaturas são verdadeiras?

Posso afirmar enfaticamente que essas duas afirmações não são verdadeiras. Definitivamente, não foi um tiro de raspão. Foi comprovado, por meio dos exames e das radiografias, que a bala penetrou o cérebro da paciente e perfurou seu crânio, o qual, por mais duro que seja, foi rompido instantaneamente, como uma folha de papel, pelo projétil, que é muito mais duro e fabricado para transpor obstáculos muito mais fortes do que estruturas ósseas. Até hoje, a paciente tem fragmentos da bala alojados no corpo. Logo, não foi um tiro de raspão.

Morte cerebral também não foi porque existe um protocolo muito grande para comprovar sua ocorrência. Ninguém dá entrada em um hospital com morte cerebral. Yannahe poderia estar com suspeita de morte cerebral, isso sim, mas a morte cerebral só é decretada após a realização de um longo protocolo de verificações, ou seja, não é tão rápido assim. É feita uma série de exames específicos, computadorizados, que determinam a falta de atividade cerebral. Depois disso, dois médicos de equipes e turnos diferentes fazem outro processo humano e analisam esses dados, para somente então determinar se ocorre morte cerebral. Ou seja, com todas as informações médicas registradas no prontuário da paciente, eu garanto – com 100% de certeza – que não foi um tiro de raspão e que ela não teve morte cerebral naquele dia, nem depois.

Pode falar um pouco mais sobre esses fragmentos de bala que permanecem alojados no corpo da Yannahe até hoje? Isso pode gerar complicações no futuro para a saúde dela?

Yannahe tem dois fragmentos alojados dentro da cabeça e um no pescoço. É importante ressaltar que não sabemos necessariamente se isso é um fragmento de bala ou outra coisa. Quando um acidente assim acontece, vários fragmentos de osso, pele, carne, cabelo, sujeira externa, entre outros, entram no ferimento. Quando uma vítima com ferimento dá entrada na emergência do hospital, o protocolo é fazer uma limpeza superficial da área para evitar ao máximo alguma infecção. Mas quando o ferimento está na cabeça, isso é feito com muito mais cuidado, já que, muitas vezes, retirar um fragmento desse, dependendo de onde ele estiver alojado, pode gerar uma sequela irreversível que poderia não ocorrer caso o fragmento ficasse lá. Por isso, quando o problema é cerebral ou craniano, o mais comum é realmente não mexer nesse fragmento e deixar lá como está.

Na radiografia da Yannahe vemos os dois fragmentos alojados na cabeça e, neste momento, eles não estão causando mal algum para a paciente. Como já passou algum tempo, posso dizer que o corpo dela se adequou àquele corpo estranho, não tentou mais expeli-lo e muito provavelmente já criou uma camada protetora em volta dele, uma espécie de cicatriz – não é exatamente isso, mas assim fica mais fácil de entender. Mexer nesses fragmentos hoje significaria correr um risco desnecessário. Eles podem gerar algum problema no futuro, mas é pouco provável. Se isso acontecer, eu avaliarei a possibilidade de tirá-los de lá, mas, por enquanto, o ideal é que se mantenham onde estão. Esses fragmentos podem ser do projétil, mas também podem ser pedaços de osso, por exemplo. É difícil determinar, mas estranho que seja parte da bala, uma vez que seria improvável ela se dividir dessa maneira. Não sou especialista em balística, mas creio que isso não faz muito sentido.

Levando em consideração o tipo de caso e todas as situações improváveis que já ocorreram até aqui, eu não descartaria nenhuma dessas possibilidades sem antes ter uma análise, como eu disse, mais apurada e de alguém especialista no assunto. Do ponto de vista médico, posso afirmar que existem dois fragmentos alojados na cabeça, quietinhos, e não oferecem, por ora, nenhum risco.

Dr. Bruno, o nascimento do terceiro filho da Yannahe ofereceu algum risco extra para ela ou para a própria criança?

O risco maior que ela teve era relacionado à epilepsia durante a gravidez ou durante o parto. As crises de convulsão podem ser graves e, por vezes, podem interferir no suprimento de oxigênio para a criança. Durante a gravidez, ela teve um episódio bem grave de convulsão e naquele momento ficamos preocupados. Fora isso, creio que não teve muitos perigos. Imagino que tenha sido, para ela, um período muito difícil do ponto de vista psicológico. Uma tensão extra pairou por toda a família durante a gravidez, mas, fora isso, clinicamente falando, a possibilidade de um episódio grave de convulsão era a maior preocupação. Do ponto de vista do bebê, não foi verificado até agora nada que tenha relação com o incidente. A epilepsia é hereditária, mas como tudo nos leva a crer que, no caso da Yannahe, a condição é pós-traumática, acredito que o bebê não levará essa carga genética com ele. É difícil afirmar, só o tempo dirá, já que provavelmente a paciente desenvolveu esse tipo de problema porque já tinha uma predisposição. Mas, enfim, são apenas suposições. Por ora, é um bebê saudável e não encontramos nada que possa se relacionar diretamente com a condição da mãe.

O senhor mencionou os protocolos médicos para diversas situações de risco para proteção da vítima. Segundo o relato da paciente, ela acordou após dois dias na cama do hospital, com plena consciência e vendo tudo, somente com uma dor de cabeça ainda. Isso é possível?

É improvável, mas não impossível. O protocolo médico estabelece que o paciente deve permanecer alguns dias em observação após a primeira cirurgia, que é feita de maneira emergencial e na qual é realizada limpeza, análise dos ferimentos e o fechamento deles. O paciente que passa por um trauma desses deve ficar em uma área de terapia intensiva (UTI), para que todos os sinais vitais – respiração, atividade cerebral etc. – sejam monitorados e controlados. Além disso, o paciente fica inconsciente por um período. A Yannahe estava, inclusive, entubada.

É difícil precisar qual é o tempo padrão para esse processo, pois varia de paciente para paciente. Existem pacientes que permanecem cinco dias, uma semana, duas semanas, e só então recuperam a consciência. Sem dúvidas, dois dias, que foi o caso da Yannahe, é um período bem curto e deve realmente ter surpreendido os médicos e todos os profissionais que estavam trabalhando diretamente com ela.

Como eu disse, nenhuma área crítica do cérebro foi afetada. Por isso, após uma breve recuperação do corpo, vencida a exaustão pela qual ela passou, além do restabelecimento de sangue que perdeu, é possível, sim, a paciente ter acordado antes do previsto e recuperado a consciência, mesmo tendo apresentado amnésia. Esquecer detalhes ou eventos completos é normal. Isso é um sistema de defesa do cérebro, enquanto se recupera de um trauma como esse. Evitar gastos exagerados de energia é uma prática comum do nosso corpo em estados críticos, então se ela recobrou a consciência naquele momento é porque o cérebro dela realmente estava preparado para isso e ativo.

Agora você acredita?

Confesso que eu, muitas vezes, também duvidei de tudo o que vivi, se o que aconteceu foi mesmo de verdade ou não passou de um pesadelo. Foi verdade.
Logo no começo, as dores de cabeça eram muito fortes e dolorosas. Precisei tomar morfina para passar a dor e, hoje, vez ou outra, volto a sentir dores terríveis na cabeça. Quando elas aparecem, tenho de parar tudo o que estou fazendo e respeitar meu corpo. Imagine uma crise de enxaqueca e multiplique por inúmeras vezes. Essa é a minha dor. Parece surreal, mas quando paro para pensar que essa dor aparece porque tenho uma bala alojada no meu cérebro, consigo compreender, pois a dor me faz lembrar que eu estou viva, continuo existindo, e então agradeço, tomo os remédios necessários e aguardo até que ela desapareça, pois eu escolhi viver.

Anexos

(parte 1)

Parte 1

Anexos

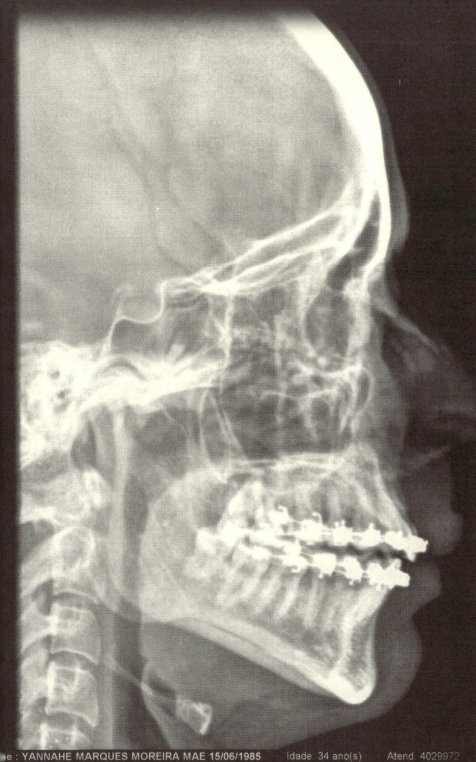

Raio-X de crânio, vista lateral, paciente Yannahe Marques Moreira. Setembro de 2019.

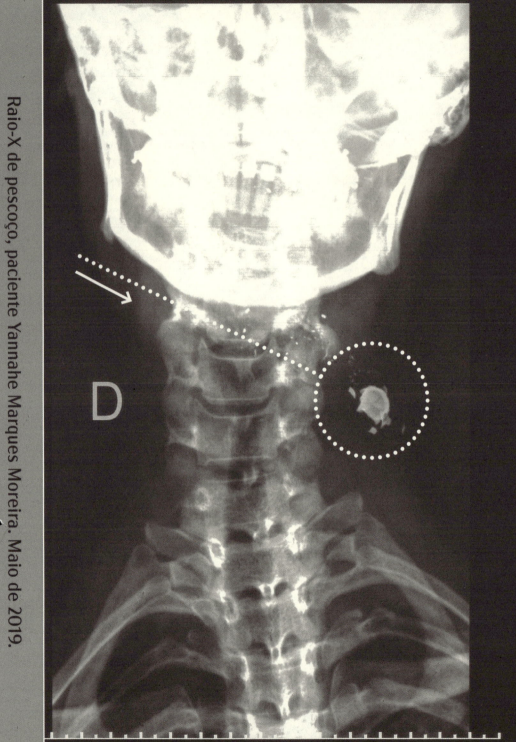

Raio-X de pescoço, paciente Yannahe Marques Moreira. Maio de 2019.

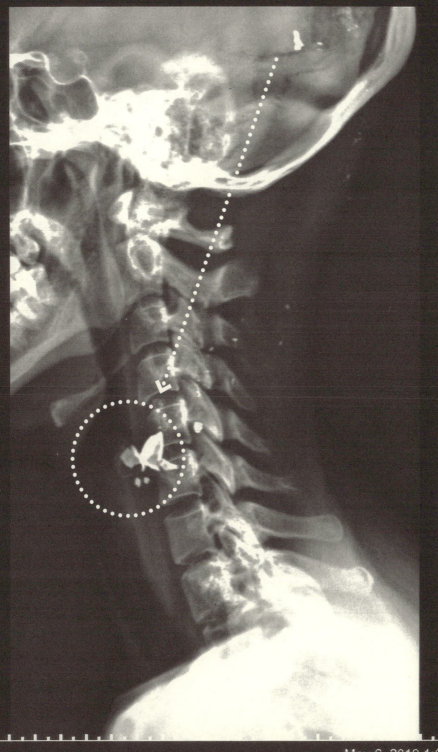

Raio-X de coluna cervical, vista lateral, paciente Yannahe Marques Moreira. Maio de 2019.

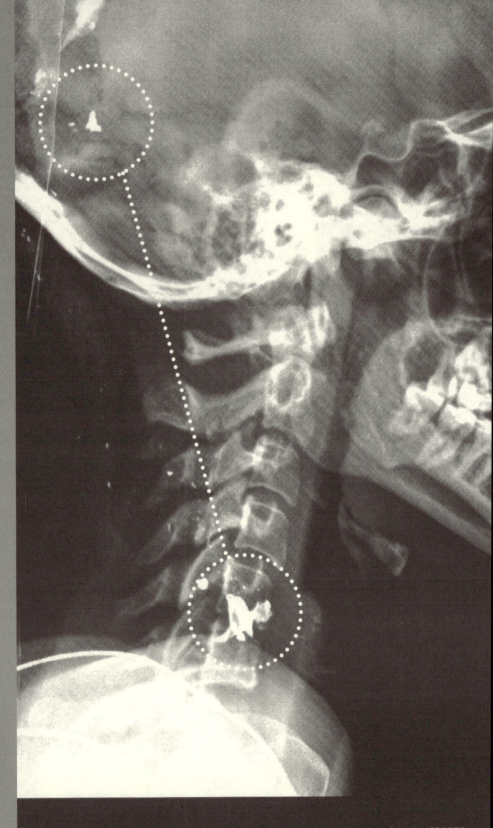

Raio-X de crânio e coluna cervical, paciente Yannahe Marques Moreira. Setembro de 2019.

Raio-X de crânio e coluna cervical, vista lateral, paciente Yannahe Marques Moreira. Setembro de 2019.

Nome: YANNAHE MARQUES MOREIRA
Dr.(a).:
Registro: 373356
Data: 06/05/2019

COLUNA CERVICAL (DIGITAL)

Corpos vertebrais íntegros.
Espaços de discos conservados.
Fragmentos metálicos em partes moles.

/aps

Este exame subsidiário deve ser analisado por profissional médico especializado, em conjunto com os dados clínicos e laboratoriais do paciente. O presente relatório é uma análise interpretativa e subjetiva das imagens obtidas no procedimento diagnóstico. A avaliação pode variar conforme a interpretação sugerida ao examinador pela requisição do exame, na evolução da enfermidade e na capacidade inerente ao método de diagnóstico da imagem em demonstrar lesões no seu limite de resolução. Qualquer discordância entre os achados clínicos e o relatório deverá ser comunicada, pois a sensibilidade e a especificidade dos métodos não são absolutas, podendo requerer revisão e, eventualmente, nova investigação, inclusive com a utilização de outros métodos de diagnóstico. O diagnóstico por imagem é procedimento auxiliar ao diagnóstico clínico conclusivo, a ser proferido pelo médico solicitante.

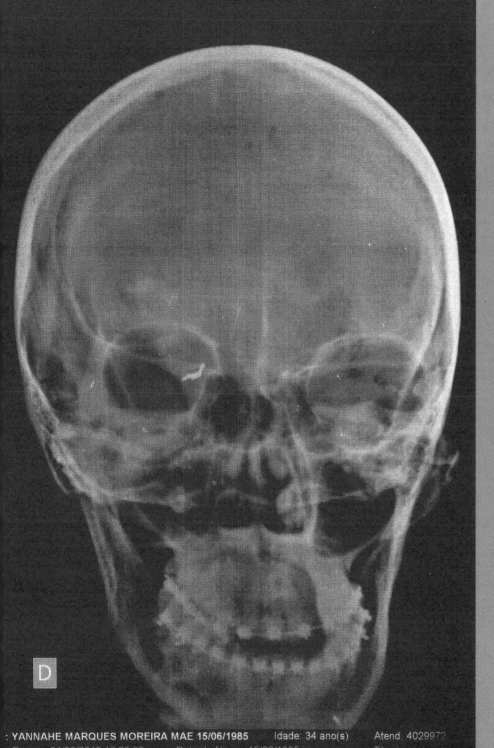

Raio-X de crânio, paciente Yannahe Marques Moreira. Setembro de 2019.

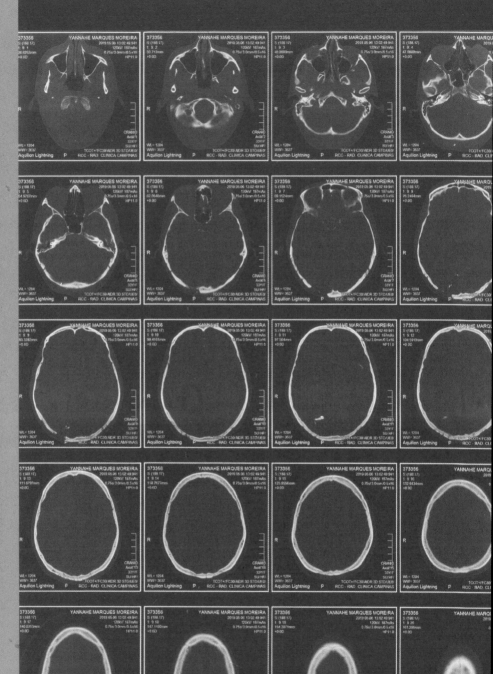

Tomografia craniana, paciente Yannahe Marques Moreira. Setembro de 2019.

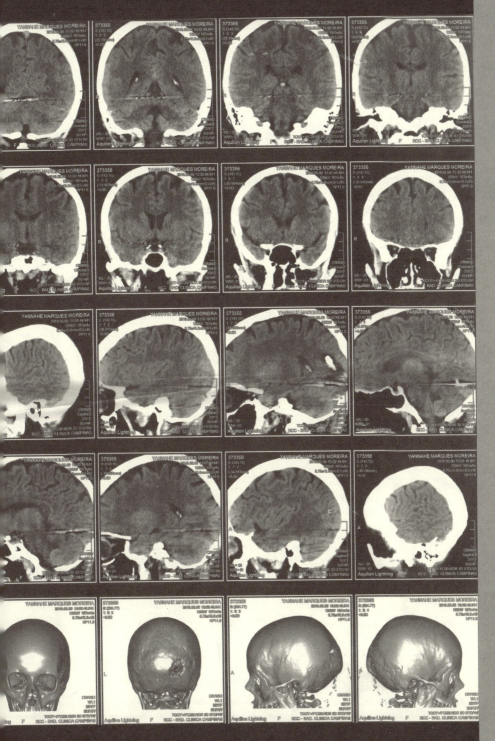

Tomografia craniana, paciente Yannahe Marques Moreira. Setembro de 2019.

Nome: YANNAHE MARQUES MOREIRA
Dr.(a).:
Registro: 373356
Data: 06/05/2019

TOMOGRAFIA COMPUTADORIZADA MULTISLICE DO CRÂNIO
(SEM CONTRASTE)
Realizados cortes de 0,5 mm do crânio, em aparelho **Multidetector AQUILION**
Reconstruções adicionais multiplanares e 3D em workstation **Vitrea 4.2**

Os seguintes aspectos foram observados:

Área de craniectomia occipito-parietal direita, com focos hiperdensos regionais intra e extra-cranianos, que dentro do contexto clínico, sugerem estilhaços de arma de fogo.

Área de encefalomalácia/cavidade cirúrgica occipito-parietal direita, com calcificações grosseiras e estilhaços regionais, sugerindo gliose e alterações residuais.

Ventrículos cerebrais com topografia, morfologia e dimensões normais.

Demais sulcos corticais, fissuras e cisternas da base com aspecto anatômico normal.

Demais porções com atenuação normal do parênquima encefálico.

Estruturas da linha mediana centradas.

ANÁLISE DE CAMPO ÚNICO

OLHO: ESQUERDO

NOME: MOREIRA, YANNAHE MARQUES
DDN: 15-06-1985
ID: 147655

CENTRAL 24-2 TESTE LIMIAR

MONITOR DE FIXAÇÃO: FIXAÇÃO/PONTO CEGO
ESTÍMULO: III, BRANCO
DIÂMETRO DA PUPILA:
DATA: 24-02-2020

ALVO DE FIXAÇÃO: CENTRAL
FUNDO: 31.5 ASB
ACUIDADE VISUAL:
HORAS: 11:52

PERDAS DE FIXAÇÃO: 0/15
ESTRATÉGIA: SITA-STANDARD
RX: +1.00 DS   DC X
IDADE: 34

ERROS FALSOS POS: 0 %
ERROS FALSOS NEG: 26 %
DURAÇÃO DO TESTE: 05:42

NÍVEA: 33 DB

```
                          5  <0  17  <0
                    <0  <0  <0  25  23  28
                <0  <0  <0  <0  27  29  27  26
            <0  <0  <0  <0  28  30  28  30  29
   30 +------------------△----------------------- 30
            <0  <0  <0  <0  28  31  30  28  25
                <0  <0  <0  <0   0  28  30  24
                    <0  <0  <0  <0  <0  17
                         <0  <0   0  <0
```

```
                  -23 -31 -11 -31
              -32 -32 -33  -6  -7  -2
          -32 -33 -34 -34  -6  -3  -5  -4
      -33     -35 -35  -6  -3  -5  -1   0
      -33     -35 -36  -6  -3  -3  -2  -4
      -33 -34 -35 -35 -33  -5  -2  -6
          -33 -34 -34 -34 -34 -14
              -33 -33 -31 -32
```

DESVIO TOTAL

PATTERN DEVIATION NOT
SHOWN FOR SEVERELY
DEPRESSED FIELDS. REFER
TO TOTAL DEVIATION.

GHT
FORA DOS LIMITES NORMAIS

VFI   37%

MD   -20.42 DB P < 0.5%
PSD   15.62 DB P < 0.5%

MODELO DE DESVIO

PATTERN DEVIATION NOT
SHOWN FOR SEVERELY
DEPRESSED FIELDS. REFER
TO TOTAL DEVIATION.

:: < 5%
< 2%
< 1%
■ < 0.5%

© 2007 CARL ZEISS MEDITEC
HFA II 740-9708-4.2.2/4.2.2

Exame de campimetria, paciente Yannahe Marques Moreira. Fevereiro de 2020.

A CAMPIMETRIA DE 24/02/2020 DE YANNATE MOREIRA MOSTRA HEMIANOPSIA HOMÔNIMA À ESQUERDA ATÉ A LINHA MÉDIA. ATENCIOSA/E,

27.02.2020

Laudo da oftalmologia. Fevereiro de 2020.

NO	Estimulo	Captacao	e:	dT(cm)	L(ms)	Ampl	D(ms)	arEa
1	dedo 1-med	punh-med	a	10.5	2.80	6.4uV		
2	dedo 2-med	punh-med	a	13.2	3.36	15.6uV		
3	dedo 3-med	punh-med	a	13.2	3.40			
4	dedo 4-med	punh-med	a	13.2	3.36			
5	dedo 4-uln	punh-uln	a	13.2	3.24	10.0uV		
6	dedo 5-uln	punh-uln	a	11.5	2.84	16.0uV		
7	dedo 1-rad	anteb-rad	a	10.5	2.56	55.4uV		

Exame# : 70040
Data: 19/6/2019
Nome: yannahe m moreira
Id/Sx: 34a/f
Dr: alexander sperlescu
Segmento: med/uln/rad esq

Velocidade de Conducao
de	a	m/s
dedo 1-med	punh-me a	37.5
dedo 2-med	punh-me a	39.3
dedo 3-med	punh-me a	38.8
dedo 4-med	punh-me a	39.3
dedo 4-uln	punh-ul a	40.7
dedo 5-uln	punh-ul a	40.5
dedo 1-rad	anteb-r. a	41.0

1 (10.0uV/0.5ms)
2 (10.0uV/0.5ms)
3 (10.0uV/0.5ms)   Pg 1
4 (10.0uV/0.5ms)
5 (10.0uV/0.5ms)
6 (10.0uV/0.5ms)
7 (10.0uV/0.5ms)

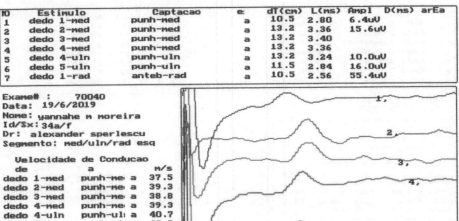

NO	Estimulo	Captacao	e:	dT(cm)	L(ms)	Ampl	D(ms)	arEa
1	punh-med	abd c polegar	d	5	3.40	10.5mV		14.60
2	punh-med	abd c polegar	f	5	24.40			
3	cotov-med	abd c polegar	d	25	7.20	9.4mV		14.60
4	punh-uln	abd 5o dedo	m	5	2.60	9.8mV		19.40
5	punh-uln	abd 5o dedo	f	5	26.80			
6	ab cotov-uln	abd 5o dedo	m	25	6.40	9.0mV		19.40
7	ac cotov-uln	abd 5o dedo	m	33	7.80	9.2mV		19.40

Exame# : 70040
Data: 19/6/2019
Nome: yannahe m moreira
Id/Sx: 34a/f
Dr: alexander sperlescu
Segmento: med/uln esq

Velocidade de Conducao
de	a	m/s
ab cotov-uln	punh-ul m	52.8
ac cotov-uln	punh-ul m	53.9
ac cotov-uln	ab coto m	57.6

1 (2.0mV/2.5ms)
2 (200.0uV/5.0ms)   Pg 2
3 (2.0mV/2.5ms)
4 (2.0mV/2.5ms)
5 (200.0uV/5.0ms)
6 (2.0mV/2.5ms)
7 (2.0mV/2.5ms)

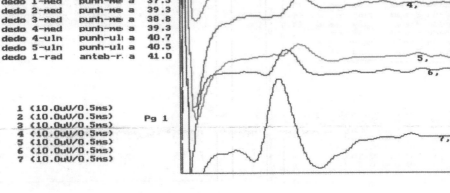
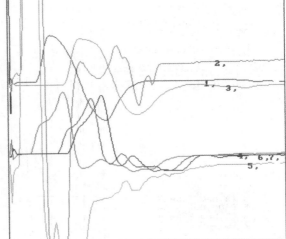

Exame de neurologia e eletroneuromiografia, paciente Yannahe Marques Moreira. Junho de 2019.

IO	Estimulo	Captacao	e:	dT(cm)	L(ms)	Ampl	D(ms)	arEa
1	dedo 1-med	punh-med	a	11	2.60	17.2uV		
2	dedo 2-med	punh-med	a	13	2.92	15.6uV		
3	dedo 3-med	punh-med	a	13	2.92	9.0uV		
4	dedo 4-med	punh-med	a	13	2.92	12.0uV		
5	dedo 4-uln	punh-uln	a	13	2.92	17.6uV		
6	dedo 5-uln	punh-uln	a	11.5	2.64	8.7uV		
7	dedo 1-rad	anteb-rad	a	11.4	2.36	46.3uV		

Exame#: 70040
Data: 19/6/2019
Nome: yannahe m moreira
Id/Sx: 34a/f
Dr: alexander sperlescu
Segmento: med/uln/rad D

Velocidade de Conducao
de	a		m/s
dedo 1-med	punh-me	a	42.3
dedo 2-med	punh-me	a	44.5
dedo 3-med	punh-me	a	44.5
dedo 4-med	punh-me	a	44.5
dedo 4-uln	punh-ul	a	44.5
dedo 5-uln	punh-ul	a	43.6
dedo 1-rad	anteb-r	a	48.3

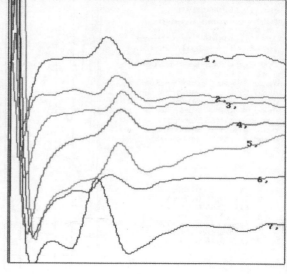

1 (10.0uV/0.5ms)
2 (10.0uV/0.5ms)
3 (10.0uV/0.5ms)   Pg 3
4 (10.0uV/0.5ms)
5 (10.0uV/0.5ms)
6 (10.0uV/0.5ms)
7 (10.0uV/0.5ms)

IO	Estimulo	Captacao	e:	dT(cm)	L(ms)	Ampl	D(ms)	arEa
1	punh-med	abd c polegar	d	5	3.00	15.0mV	12.40	
2	punh-med	abd c polegar	f	5	24.00			
3	cotov-med	abd c polegar	d	25	6.60	14.4mV	12.40	
4	punh-uln	abd 5o dedo	m	6	2.00	7.4mV	16.80	
5	punh-uln	abd 5o dedo	f	6	25.60			
6	ab cotov-uln	abd 5o dedo	m	26	6.00	7.4mV	16.80	
7	ac cotov-uln	abd 5o dedo	m	33.5	7.20	7.0mV	16.80	

Exame#: 70040
Data: 19/6/2019
Nome: yannahe m moreira
Id/Sx: 34a/f
Dr: alexander sperlescu
Segmento: med/uln D

Velocidade de Conducao
de	a		m/s
ab cotov-uln	punh-ul	m	50.1
ac cotov-uln	punh-ul	m	53.0
ac cotov-uln	ab coto	m	63.0

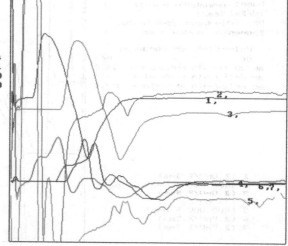

1 (2.0mV/2.5ms)
2 (200.0uV/5.0ms)
3 (2.0mV/2.5ms)   Pg 4
4 (2.0mV/2.5ms)
5 (200.0uV/5.0ms)
6 (2.0mV/2.5ms)
7 (2.0mV/2.5ms)

IO	Estimulo	Captacao	e:	dT(cm)	L(ms)	Ampl	D(ms) arEa
1	punh-med	abd c polegar	m	5	3.00	15.0mV	12.40
2	punh-med	abd c polegar	f	5	24.00		
3	cotov-med	abd c polegar	m	25	6.60	14.4mV	12.40
4	punh-uln	abd 5o dedo	d	6	2.00	7.4mV	16.80
5	punh-uln	abd 5o dedo	f	6	25.60		
6	ab cotov-uln	abd 5o dedo	d	26	6.00	7.4mV	16.80
7	ac cotov-uln	abd 5o dedo	d	33.5	7.20	7.0mV	16.80

Exame# : 70040
Data: 19/6/2019
Nome: yannahe m moreira
Id/Sx: 34a/f
Dr: alexander sperlescu
Segmento: med/uln D

Velocidade de Conducao
de   a   m/s
cotov-med punh-me m 55.7

1 (2.0mV/2.5ms)
2 (200.0uV/5.0ms)
3 (2.0mV/2.5ms)
4 (2.0mV/2.5ms)
5 (200.0uV/5.0ms)
6 (2.0mV/2.5ms)
7 (2.0mV/2.5ms)

Pg 4

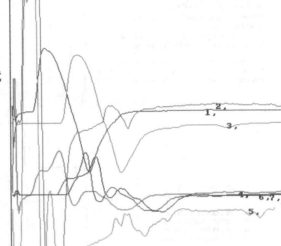

IO	Estimulo	Captacao	e:	dT(cm)	L(ms)	Ampl	D(ms) arEa
1	punh-med	abd c polegar	m	5	3.40	10.5mV	14.60
2	punh-med	abd c polegar	f	5	24.40		
3	cotov-med	abd c polegar	m	25	7.20	9.4mV	14.60
4	punh-uln	abd 5o dedo	d	5	2.60	9.8mV	19.40
5	punh-uln	abd 5o dedo	f	5	26.80		
6	ab cotov-uln	abd 5o dedo	d	25	6.40	9.0mV	19.40
7	ac cotov-uln	abd 5o dedo	d	33	7.80	9.2mV	19.40

Exame# : 70040
Data: 19/6/2019
Nome: yannahe m moreira
Id/Sx: 34a/f
Dr: alexander sperlescu
Segmento: med/uln esq

Velocidade de Conducao
de   a   m/s
cotov-med punh-me m 52.8

1 (2.0mV/2.5ms)
2 (200.0uV/5.0ms)
3 (2.0mV/2.5ms)
4 (2.0mV/2.5ms)
5 (200.0uV/5.0ms)
6 (2.0mV/2.5ms)
7 (2.0mV/2.5ms)

Pg 2

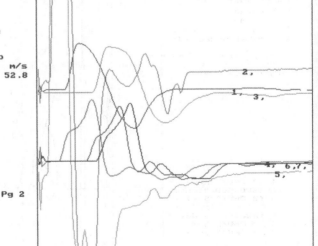

A pedido de Dr.:

Musculo Estudado	Atividade Espontanea					Unidades Motoras				Padrao interferencial
	fi.	fa.	op.	draf.	amp.	dur.	forma		
1 delt ant e	au	au	au	au	n	n	n		n
2 tric e	au	au	au	au	n	n	n		n
3 bic e	au	au	au	au	n	n	n		n
4 ext c dedos e	au	au	au	au	n	n	10%pol		lev red
5 abd c polegar e	au	au	au	au	n	n	n		n
6 abd 5o dedo e	au	au	au	au	n	n	n		red

fi = fibrilacao, fa = fasciculacao, op = onda positiva
n = normal, d = diminuido a = aumentado
amp = amplitude, dur = duracao,E,D = esquerdo,direito, pol.= polifasico, rar = rarefeito
draf = descarga repetitiva de alta frequencia,red.= reduzido, au = ausente, f. = forca
intensidade = de + a ++++

Exame de neurologia e eletroneuromiografia, paciente Yannahe Marques Moreira. Junho de 2019.

Neurologia
Eletroneuromiografia

RELATÓRIO

Paciente: Yannahe M Moreira
ENMG:# 70040

idade: 34 anos
data: 19/06/2019

Foi realizado estudo de condução sensitiva e motora em m superior direito e esquerdo nos ns mediano, radial e ulnar , e se observa atraso frustro de condução sensitiva bilateralmente , com predominio esquerdo, alem de atraso adicional de aproximadamente 5-10% na condução do n mediano esquerdo quando da sua passagem pelo canal carpeano

N Ulnares normalidade e simetria
N Radiais : normalidade e simetria

Estudou-se eletromiograficamente membro superior esquerdo em ms de representação segmentar C4 a T1 inervados pelos ns Axilar, Musculocutaneo, Radial, Mediano e Ulnar , e se observa sinais de desnervação muito frustra e cronica de representação C6 , alem de sinais compativeis com comprometimento central suprasegmentar

CONCLUSÃO

O exame realizado nesta data mostra-se compativel com polineuropatia frustra leve em luvas com leve predominio esquerdo, neuropatia de n mediano esquerdo grau muito frustro quando da sua passagem pelo canal carpeano, e radiculopatia cronica C6 esquerda muito frustra

Se observa clinicamente possivel comprometimento central supra segmentar de predominio esquerdo (a investigar por outros meios)

Gradação utilizada: frustro/leve/moderado/severo

Sem mais, agradeço o encaminhamento e mantenho meus serviços a disposição

UNICAMP/NIHC HOSPITAL DAS CLINICAS   DATA: 10/04/19
HR70A   CONTROLE DO CENTRO CIRURGICO   HORA: 03:24:45
                     RELATORIO DE CIRURGIA
N.CONTROLE: 19-05633-1
ESPECIALIDADE: NEUROCIRU   HC: 01.32.01.89-5

PACIENTE: YANNAHE MARQUES MOREIRA   DATA: 10/04/2019
CIRURGIA: 2501007-5 CRANIOTOMIA:RETIRADA DE CORPO ESTRANH   TIPO: URGENCIA

CONTINUACAO DESCR. CIRURGIA (TECNICAS/LIGADURAS/SUTURAS/DRENAGEM/FECHAMENTO)

- Retirado fragmento gálea e realizada duroplastia c/ prolene 4-0 - Remoç tecido extâneo desvitalizado
- Fechamento por planos c/ vicryl 2-0, nylon 3-0
- Curativo estéril.

- Lavagem exaustiva e desbridamento fragmento projétil cervical à E
- Arteria/venorrafia, sutura FCC c/ nylon 3-0
- Curativo

NOME E ASSINATURA DO RESPONSAVEL

UNICAMP/NIHC HOSPITAL DAS CLINICAS DATA: 10/04/19
HR70A   CONTROLE DO CENTRO CIRURGICO HORA: 03:24:45
               RELATORIO DE CIRURGIA

N.CONTROLE: 19-05633-1
ESPECIALIDADE: NEUROCIRU   HC: 01.32.01.88-5

PACIENTE: YAHNAHE MARQUES MOREIRA   DATA: 10/04/2019
CIRURGIA: 2501007-5 CRANIOTOMIA:RETIRADA DE CORPO ESTRANH TIPO: URGENCIA
COBRANCA-SUS: 0403010063 CRANIOTOMIA P/ RETIRADA DE CORPO ESTRANHO INTRACRAN

CID : S017   FERIMENTO NA CABECA, PARTE NAO ESPECIFICADA

-------- CIRURGIA --------   -------- EQUIPE --------
DURACAO: 03 H 00 M   RESP:
GRAU CONTAMINACAO: CONTAMINADA   CIR.:
PROFILAXIA CIRURGICA:
NAO EFETUADA   ASS.:

OBS: INST:
                                   PERF:

--- PROCEDIMENTOS CIRURGICOS

PATOLOGISTA

ACIDENTES DURANTE A OPERACAO

SONDAS, DRENOS, PROTESES, ETC... (MATERIAIS ESPECIAIS)

DESCRICAO DA CIRURGIA (TECNICAS, LIGADURAS, SUTURAS, DRENAGEM, FECHAMENTO)

- DDH, extins sob escópula D, cabeça lateralizada p/ E
- Tricotomia, anupsia/antissepsia, colocação em pos estéril
- Incisão el bistrui ampliação do espaço ósseo em região de FCC occipital D, superiormente
- Dissecção e exploração de orifício entrada do projétil com visualização de fratura cominutiva occipital e durotomia transversa e leito de parênquima cerebral adjacente
- Lavagem de sítio cirúrgico exaustiva, revisão hemostasia

NOME E ASSINATURA DO RESPONSAVEL

- Pequena craniotomia c/ ampliação de espaço até visualização de dura mater íntegra, desbridamento local

ATENDIMENTO NA EMERGÊNCIA

09/04/2019 23:09

Subjetivo
####CIRURGIA DO TRAUMA####

PACIENTE TRAZIDA PELO GRAU DEVIDO A UM FPAF DISPARADO PELO MARIDO COM LESAO DE ENTRADA EM OCCIPTO E PROVAVEL SAIDA EM REGIAO CERVICAL ESQUERDA. NO LOCAL SOCORRISTA RELATA QUE PACIENTE ESTAVA COM GLASGOW 15, CONSCIENTE, ORIENTADA, SEM ALTERAÇAO NA AUSCULTA PULMONAR, COM PROVAVEL PERDA DE 500 ML DE SANGUE, P.A INAUDIVEL. FOI FEITO IOT DEVIDO INSTABILIDADE HEMODINAMICA. FOI FEITO 1000 ML SF0.9% E IOT COM 20MG DE ETOMIDATO, VECURONIO 4MG, QUELICIN 2MG.

A: TRAZIDA EM IOT, SEM COLAR CERVICAL E SEM PRANCHA RIGIDA
B: MV PRESENTE E SIMETRICO, SEM RA, SAT 98% COM ABU E O2 100%, EXPANSIBILIDADE PRESERVADA, SEM ENFISEMA SUBCUTANEO, PALPAÇAO E PERCUSSAO SEM ALTERAÇÕES, TRAQUEIA CENTRADA.
C: FC:102, PA:120/90, PULSOS RADIAIS CHEIOS, SIMETRICOS. BRNFT2T, SEM ESTASE JUGULAR. PELVE ESTAVEL.
D: GLASGOW:3T, PIFR, SEM DMEFICITS FOCAIS. SE ALTERAÇÕES A PALPAÇAO DE COLUNA VERTEBRAL.
E: APRESENTANDO LESAO DE ENTRADA EM REGIAO OCCIPTAL E PROVAVEL LESAO DE SAIDA EM REGIAO CERVICAL DIREITA.

CASO RECEBIDO COM DR BORTOTO QUE ORIENTA:

1) CASO DISCUTIDO COM NEUROCIRURGIA
2) SOLICITADO ANGIO TC PARA PROGRAÇAO CIRURGICA

Objetivo

Elaborado e assinado por médico residente Dr. _____ em 09/04/2019 23:09

Triagem

Queixa Principal:

Esteve internado em algum hospital nos útlimos 90 dias? Não

Informações Complementares:
NPREMTR: 190419575
CCIH: NADA CONSTA

Classificação de Risco
Protocolo:
Fluxograma:
Descritor:
Gravidade: BOX M

ATENDIMENTO NA EMERGÊNCIA

Identificação
Yannahe Marques Moreira

UCT   1320188/5

Código: 1196990 BA: 4598801 Idade: 34 anos 5 meses

Sumário de Alta

folha: 1 / 1

IDENTIFICAÇÃO

Nome: YANNAHE MARQUES MOREIRA
Idade: 33 anos 10 meses
Data internação: 09/04/2019
Convênio: Sus
Equipe responsável:

Sexo: Feminino
Data Alta: 16/04/2019

Prontuário: 1320188/5
Leito: 539A
Permanência: 7 dias

Localizador de Exames na Internet:
LC36IX31

DIAGNÓSTICOS

Motivos da internação
 Outros traumatismos intracranianos (S06.8)
Diagnóstico principal na Alta
 Outros traumatismos intracranianos (S06.8)

EVOLUÇÃO

PACIENTE VITIMA DE FAF OCCIPITAL DIREITO EM 09/04/2019, ADMITIDA ENTUBADA, SENDO SUBMETIDA A DESBRIDAMENTO DE FERIDA. ADMITIDA EM LEITO DE UTI PARA NEUROINTENSIVISMO, APRESENTANDO BOA EVOLUÇÃO.
DESPERTAR COM AMAUROSE EM CAMPO VISUAL ESQUERDO, FO SEM SINAIS FLOGÍSTICOS, EVOLUI COM DISCRETA PARESIA DE MÃO ESQUERDA.

RECEBE ALTA COM ORIENTAÇÕES, RETORNO AMBULATORIAL PRECOCE, RECEITAS

PLANO PÓS-ALTA

Motivo da Alta
 Alta médica
Recomendações da Alta
 Encaminhamento ao ambulatório do hospital

ESTADO DO PACIENTE NA ALTA

ALTA MELHORADO (12)

16/04/2019, 10:07 h.

Hospital de Clínicas UNICAMP

Sumário de Alta

Identificação

YANNAHE MARQUES MOREIRA

Leito: 539A

1320188/5

O despertar

Quando os médicos me contaram o que acontece com pessoas que perdem massa encefálica, eu continuei descrente.

Capítulo 9
O despertar

Até então eu era uma pessoa que rezava por rezar, acreditava na existência de Deus, mas nada muito além disso. Como, então, eu sobrevivi? Qual era a explicação? Qual era o motivo?

Quando voltei para casa e me dei conta da gravidade dos acontecimentos, senti que nada se encaixava. Muitas vezes acordei assustada, como se alguém estivesse tentando arrombar a porta, via o Miguel entrar na minha casa, ouvia o tiro, sentia o cheiro da pólvora. Era uma tortura. Como não bastasse todo o sofrimento, eu ainda sentia culpa. Sim, eu sentia culpa pela morte do Miguel, pela forma como as coisas aconteceram. Meus filhos não tinham mais o pai, tão jovens e já com experiências tão dolorosas. Eu me responsabilizava pelas decisões que meu ex-marido havia tomado.

As perguntas tomavam conta dos meus pensamentos:

"Por que estou vivendo tudo isso?"

"Por que levei um tiro na cabeça do homem com quem dividi minha vida por treze anos?"

"Por que sobrevivi a esse tiro?"

"Qual é meu aprendizado?"

"Será que eu poderia ter evitado toda essa tragédia?"

"Será que se eu tivesse ficado com ele isso teria acontecido, mesmo eu já não suportando mais aquela vida de violência e humilhação?"

Além de todas essas dúvidas que pairavam no ar, a dor que eu sentia não me deixava esquecer que eu tinha uma bala alojada dentro da minha cabeça. Foi então que comecei a entender que a resposta que eu buscava não era médica. Eu estava procurando o *como*, mas na verdade queria saber o *porquê* de eu ter sobrevivido. E a resposta para essa pergunta não estava na ciência.

* * *

Foram meses de adaptação a uma nova vida. Era preciso lidar com a dor e as pequenas sequelas causadas pelo tiro que levara do meu ex-marido. Sendo mãe, tendo uma casa para administrar e um trabalho para atender, tornara-se um grande desafio conseguir assimilar e compreender os rumos da minha vida depois de tudo o que aconteceu comigo. Mas eu tinha escolhido viver, e desistir de seguir em frente não era uma opção.

A fé pode ser a resposta às batalhas que você venceu.

Apesar do choque e da incredulidade de praticamente todos a minha volta, no mês seguinte ao da minha alta hospitalar pedi para retomar as minhas atividades profissionais na área comercial da empresa em que trabalhava. Falando assim, parece até insano, mas na realidade era a minha imensa vontade de voltar a viver a minha vida em todos os seus aspectos. E hoje tenho plena convicção de que essa decisão me ajudou também a me manter no rumo certo da busca pelas respostas que tanto queria encontrar.

Apesar de sempre ter me sentido muito dona de mim e ser uma mulher de atitude, esse acontecimento que mudou a minha vida para sempre me fez perceber que havia chegado também o momento de despertar o meu olhar para outros aspectos considerados por muitos fundamentais na vida: a espiritualidade e o autoconhecimento.

O período logo após a saída do hospital fora acompanhado de muitas medicações, que potencializaram um estado de depressão, que pode ser considerado até natural após um trauma tão violento. Minha alegria estava sendo drenada e o cansaço me deixava prostrada diante de tanta luta que travava diariamente para voltar a ser o que eu era. Quando estava começando a desacreditar, caminhando para entregar os pontos, a força da fé finalmente ressurgiu em mim.

Como já afirmei aqui, nunca fui uma pessoa religiosa. Mas acredito que definitivamente estar perto da morte nos faz enxergar coisas que antes estavam adormecidas em nós. Apesar de não praticar nenhuma religião, consegui me sentir cada vez mais próxima da fé, acreditando que Deus tinha algo para mim depois de tudo aquilo. Foi a partir daí que eu entendi que a explicação para a minha existência estava na fé, e comecei enfim a enxergar a vida com outros olhos.

Essa nova perspectiva não me tira a plena confiança que tenho na ciência. Não fosse o rápido atendimento médico que recebi, eu teria morrido. Sou eternamente grata aos profissionais que me atenderam e se dispuseram a lutar pela minha vida junto comigo. No entanto, os médicos não têm as respostas para todas as minhas perguntas. Além disso, nunca ouvi falar de uma pessoa que tenha passado pelo que passei, por isso acredito que só mesmo a fé é capaz de explicar o milagre que aconteceu comigo. Isso me fez mudar de atitude com relação à espiritualidade e ao seu poder nas nossas vidas. Embora eu não acreditasse em milagres, fui agraciada com um. E logo iria perceber que essa nova compreensão seria só o começo do que estava por vir.

Um novo olhar

Meus pedidos para conseguir responder a tantas perguntas sem respostas finalmente foram atendidos quando conheci a Rose. Eu e a Rose Rech, minha terapeuta, fomos apresentadas no final de setembro de 2019, seis meses após o atentado que sofri, e quando já estava bem fatigada dos efeitos colaterais das minhas medicações para combater eventuais episódios convulsivos.

Rose, que é terapeuta informacional, foi um verdadeiro presente depois de tantos meses lutando para me restabelecer, pois foi a pessoa que enfim me mostrou o caminho para compreender os questionamentos que não paravam de surgir na minha mente.

Por que, afinal, eu sobrevivi?

Por que Deus foi tão bom comigo e me deixou permanecer viva, ao lado dos meus filhos?

Qual é a minha missão em vida?

O que devo fazer com essa nova oportunidade?

Quando comecei meus atendimentos com a Rose, havia muitos questionamentos na minha mente, mas o principal era: por que eu estava passando por tudo isso? Por que Deus me permitiu viver se eu não exercia a minha fé?

Para iniciarmos o processo terapêutico, ela pediu que eu contasse toda a minha história, nos mínimos detalhes. Apesar de ter que voltar ao evento traumático, senti um verdadeiro acolhimento por parte dela, então fui em frente e narrei tudo o que nunca havia esquecido, apesar de não ter sido tarefa fácil. Na verdade, foi um enorme desafio, pois eu tinha guardado a sete chaves tudo dentro de mim. Relatava o acontecido como se falasse de uma história que tinha ouvido de alguém distante, buscando não deixar transparecer emoção alguma.

Mas fato é que quando estamos sendo assistidos por profissionais dedicados a cuidar de nossas emoções, o olhar clínico é certeiro. Foi por meio da terapia que todas as fichas foram caindo. Rose gentilmente me conduziu para fora de um buraco que eu havia cavado para enterrar tudo aquilo que eu não queria encarar, e que insistia em doer. Após cada sessão, havia novas descobertas, como o fato de eu repetir o mesmo comportamento complacente das vezes que tinha sido agredida e mal comentar com as pessoas os abusos que sofria nas mãos do meu ex-marido. A partir do tratamento, reconheci também que, apesar de achar que já havia resolvido aquele assunto, na realidade tudo o que eu sofrera no passado ainda era muito presente. Percebi que eu dizia da boca para fora que tinha perdoado Miguel, pois ainda lamentava e remoía tudo o que acontecera.

Todo esse caminho que percorremos juntas foi não apenas revelador, como um divisor de águas na minha nova vida. O autoconhecimento me fez encaixar as peças que faltavam do quebra-cabeça em que a minha vida tinha se transformado. Finalmente estava conseguindo retomar as rédeas da minha existência, e dessa vez verdadeiramente desperta e consciente de mim e do mundo ao meu redor.

* * *

No próximo capítulo, Rose Rech irá contar como vem me auxiliando no processo de cura e encontro comigo mesma. Vou abrir espaço para que a Rose expresse o que vem trabalhando comigo para que, assim como eu, você também possa descobrir que é possível encontrar o perdão e as respostas dentro de si mesma.

Antes, preciso acrescentar que estou apenas no início desta longa caminhada – embora eu já venha me consultando com a Rose há mais de um ano – e que o percurso entre se redescobrir, entender o que acontece com a nossa vida e se conhecer de fato é desafiador. Ainda há muito trabalho a ser feito, mas acredito que agora finalmente estou no caminho certo.

Depois de tudo o que passei, de toda a dor, sofrimento, ansiedade e, mais importante, do milagre de continuar viva, percebi que eu precisava entender melhor o que aconteceu. Qual o significado de tudo isso? Qual foi essa força maior que me salvou? Por que estou aqui? Foi por isso que procurei uma terapeuta informacional para me ajudar a entender e a enxergar as coisas por outro ângulo.

Minha pergunta é: qual o significado? O que eu preciso aprender com isso para seguir em frente, para fazer disso uma lição na minha vida? Tive sorte? Talvez, mas acho difícil que isso seja sorte, levando em consideração tudo o que efetivamente aconteceu.

Escolhi deixar o próximo capítulo com a Rose porque acredito que o trabalho dela também pode ajudar mais pessoas.

Yannahe
(por Rose Rech)

É preciso olhar para dentro de si para se conhecer de verdade.

Capítulo 10
Yannahe (por Rose Rech)

Absolutamente tudo era muito novo tanto para mim, que nunca tinha imaginado atender uma pessoa que sobreviveu a um tiro na cabeça e estava bem ali, diante de mim, lúcida e falando sem dificuldades sobre tudo o que enfrentara, quanto também era novo para Nana, que nunca havia passado por um processo terapêutico e muito menos ouvido falar em terapia informacional e homeostase quântica informacional.

Nos últimos quinze anos, venho estudando a espiritualidade, terapias integrativas e o comportamento humano e tenho me dedicado integralmente a ajudar as pessoas a se curarem de seus traumas emocionais por meio da terapia quântica informacional. Essa terapia consiste em uma metodologia de autocura consciente que visa eliminar do inconsciente traumas emocionais, características negativas adquiridas de familiares, limitações, crenças distorcidas que acumulamos ao longo de nossa formação enquanto indivíduos que, somadas, são capazes de ocasionar doenças graves ou desencadear comportamentos que podem atrapalhar ou mesmo impedir o crescimento pessoal e nossa vida como um todo.

Para entender melhor sobre esse conceito, tenha em mente que todos nós produzimos e processamos informação diariamente e a todo instante. Assim como somos dotados de químicas cerebrais e hormonais, responsáveis por manter o nosso funcionamento biológico, as informações desempenham papel fundamental na nossa vida, inclusive em nossa saúde e bem-estar. Recebemos informação dos ambientes em que vivemos e das pessoas com quem nos relacionamos, processamos sons, imagens, gostos, odores e todos os outros estímulos sensoriais, e isso tudo é necessário à nossa sobrevivência. Cada ação que fazemos é precedida por um fluxo de informações em nosso cérebro e, por conseguinte, geramos energias quando pensamos e nos emocionamos. Num estado de saúde considerado ideal e com as informações correndo adequadamente, uma pessoa encontra-se em equilíbrio em todas as esferas: física, mental e emocional.

Contudo, se uma pessoa vivencia um evento de forte impacto emocional, imediatamente ela recebe uma informação negativa que pode afetar sua saúde de forma significativa, com a geração de um trauma. Do ponto de vista da terapia quântica informacional, o trauma consiste em uma informação prejudicial armazenada no plano da informação. Essa informação nociva passa então a afetar a mente e as emoções do indivíduo e, se não tratada adequadamente, pode desencadear efeitos danosos ao corpo físico.

Como então corrigir essa espécie de "curto-circuito" que podemos sofrer ao processar uma informação potencialmente danosa? A resposta é surpreendentemente simples num primeiro momento, mas profundamente poderosa: os comandos quânticos. Esses são responsáveis por literalmente eliminar as nossas informações negativas dos fatos que vivenciamos. À medida que vamos praticando os comandos consistentemente, eles podem alterar de forma significativa a nossa realidade, conduzindo assim ao processo de autocura.

Explicar tudo isso para Nana foi um verdadeiro desafio, pois quando ela chegou até meu consultório ainda estava fechada e naturalmente desconfiada depois de ter passado por tanta dor e sofrimento. Mas nada como um dia de cada vez.

Um dia de cada vez

Quando alguém afirma que escolheu viver, imediatamente você (e todas as pessoas, eu também) formamos uma imagem positiva e forte dessa pessoa. Tudo o que eu tinha em mãos num primeiro momento era essa informação: estava diante de uma mulher que levou um tiro na cabeça e escolheu viver.

Nós terapeutas precisamos observar os detalhes sem julgar o que nosso consulente está nos trazendo de informação, para nos aprofundarmos na personalidade da pessoa e ajudá-la a percorrer o caminho até que ela mesma consiga encontrar a resposta para os seus questionamentos. Mas como conduzir essa mulher forte, que escolheu viver no caminho da autorresponsabilidade diante de um fato tão violento? Embora ela tenha sido vítima de um relacionamento abusivo, como mostrar as coisas pela ótica de que ela poderia ter feito escolhas diferentes? As respostas vieram pouco a pouco por meio da reconstrução de seu mundo interno que, juntas, Nana e eu, fizemos consistentemente ao longo de meses – e o qual continua até hoje –, reparando cada trauma sofrido por meio da terapia quântica informacional.

O processo terapêutico da Nana iniciou-se cerca de seis meses após o atentado que ela sofrera. Logo no início, observei que ela era muito reservada em relação a seus sentimentos e emoções sobre o acontecido. Ela contava a história como se fosse a vivência de outra pessoa. Nana mantinha o controle absoluto dos seus gestos e fala, continha as lágrimas. Percebi o quanto ela, mesmo tendo passado por toda aquela violência, sentia culpa pela morte do ex-marido, não se permitia sentir dor para proteger os filhos, colocando-se em uma posição de super-heroína, quando na verdade estava destruída por dentro, e suas perguntas todas sem resposta:

"Por que escolhi viver?"
"Será que foi uma escolha mesmo?"
"E agora, para onde sigo? Vou em frente neste caminho ou tem algum outro?"

Ela falava do ex-marido como tendo sido uma pessoa muito boa, preocupado com a família, mas que em alguns momentos ficava um pouco descontrolado. Quando questionei sobre as agressões, num primeiro momento ela dizia que aquilo tinha acontecido apenas uma vez. Então seguimos conversando, e passei a dar exemplos de agressões vividas por outras clientes para que ela percebesse que não estava sozinha nessa situação. A cada exemplo, Nana se encorajava a comentar de quando acontecera algo parecido com ela, em seguida relatava o fato. No fim, foram tantas as vezes que tinha sido agredida que ela ficou muito chocada. Mas, mesmo se dando conta da quantidade de vezes que vivenciou algum tipo de abuso, a culpa que ela sentia por seu ex-marido ter cometido suicídio ainda era maior do que todos os outros sentimentos.

Era exatamente isso. Nana embarcou no processo terapêutico carregada de informações nocivas a sua saúde, como o forte sentimento de culpa, a autorresponsabilidade pelo atentado que sofrera e até pela morte do ex-marido, que havia tirado a própria vida. Tudo aquilo ainda era uma gigantesca incógnita para ela. Mas ela saíra em busca de respostas, e essa decisão lhe permitiu percorrer um caminho de autoconhecimento que representou a chave para finalmente destravar as respostas a muitas outras questões ligadas à sua existência.

Quando ela se deu conta, de verdade, de que havia sobrevivido a um tiro na cabeça, ou seja, quando teve tempo suficiente para digerir as informações que nem os médicos sabiam explicar, percebeu que tinha que fazer algo além de apenas sobreviver. Dali nascia a decisão de não apenas contar essa história, mas transformar a sua vida completamente.

Apesar da determinação em finalmente responder a todas essas perguntas, foi um caminho longo. Em alguns momentos, eu percebia que ela não tinha forças para continuar, pois a dor física e emocional era imensa. Olhar para a nossa própria história e perceber que precisamos cuidar do nosso interior para evitar ao máximo passar por desequilíbrios e situações tão dolorosas quase nunca é fácil.

Muitas vezes, ligamos a nossa vida no piloto automático e passamos a agir sem sequer nos darmos conta do que estamos fazendo. Foi assim também com Yannahe. Antes do dia em que seu ex-marido tentou tirar a vida dela e deu cabo da própria, Nana vivia no piloto automático, tentando se enquadrar nas diversas situações que aconteciam. Seu relacionamento com o Miguel foi sendo construído ao longo de muitos anos em uma base extremamente frágil e conturbada, pois desde o início apresentava todos os indícios de que não era uma relação saudável. O ex-marido apresentava claramente um perfil ciumento e dominador, enquanto Yannahe se mantinha entregue a essa situação, ainda que acreditasse que era muito mais forte que aquilo ao se manter ao lado dele.

Mas, como costuma acontecer com a maioria de nós mulheres em situação de vulnerabilidade, condicionamos a nossa mente, de maneira inconsciente, a acreditar que a aceitação é o caminho certo. Contudo, quando tentamos fazer valer as nossas regras dentro de um relacionamento abusivo, dizendo não para uma agressão de qualquer natureza, o resultado pode ser uma explosão de violência por parte do parceiro que apresenta um perfil de abusador.

* * *

No meu trabalho, saber ouvir o que as pessoas contam é fundamental para que as informações as conduzam pelo caminho da aceitação e da autocura. Por esse motivo, a atenção ao escutar é indispensável. Muitas vezes, nos apegamos aos fatos tais como eles são e se apresentam e não nos aprofundamos nas circunstâncias. E, no caso de Nana, isso se apresentava praticamente de forma cristalizada.

Fazia parte do início do meu atendimento para Yannahe questionar por que ela havia sobrevivido a algo de tamanha violência, afinal residia nessa informação o caminho para compreender e aceitar o que ela havia passado para finalmente se chegar à cura. Disse então a ela que levar um tiro na cabeça era algo gravíssimo, e chamei a sua atenção para pensar atentamente sobre o que a havia trazido até o momento em que estávamos. Esta, sim, era a principal questão.

Pode ser que, no fundo, nossa intenção seja mesmo não entender a mensagem que cada acontecimento traz para a nossa vida, mas se nosso desejo é crescer e evoluir a partir desses acontecimentos, então entender nossos reais sentimentos e padrões comportamentais é o primeiro passo para a mudança.

Para a terapia quântica informacional, o sistema nervoso "pode" (pois existem infinitas possibilidades) estar ligado ao controle. Excesso de controle, ser controlado ou não controlar é o que nos leva a ter ansiedade, causa problemas no sistema nervoso e nos cinco sentidos. Por essa razão, o principal objetivo das conversas que estabeleci com Nana era buscar todos os momentos em que ela havia controlado alguma situação, ou que se sentiu controlada e quando perdeu o controle, desde pequena até o dia em que sofrera o atentado pelo ex-marido, pois ao percorrermos esse caminho seria possível identificar que padrão de comportamento e consequentemente quais informações ela armazenou que a levaram a se expor ao risco de viver ao lado de um agressor.

Violência nunca mais

Realmente não é fácil parar e encarar as nossas próprias escolhas de vida que podem ter contribuído para experienciar situações prejudiciais a nós mesmos. Mas Yannahe felizmente descobriu que enfrentar esse processo de "olhar para dentro", apesar de em um primeiro momento ser doloroso, enfim foi o caminho que a conduziu a sua verdadeira libertação. Essa também é uma forma corajosa de tentar ser melhor a cada dia, procurando sempre agir da melhor maneira possível consigo e consequentemente com o mundo ao seu redor.

Nana apenas se conscientizou quanto à relação de dependência excessiva que criara com o ex-marido quando já era tarde demais e a situação chegou a um limite extremo. Mas você não precisa deixar que isso aconteça em sua vida também. Permita-se conhecer melhor, sem medo do que pode descobrir no caminho. Conhecer-se também é responsabilidade de cada um de nós, e só a partir dessa busca é que conseguimos mudar as coisas, principalmente em um contexto de relacionamento abusivo em que somos vítimas de violência.

O autoconhecimento é uma das ferramentas mais poderosas para nos proteger contra a violência. Quando a mulher está segura de si, consciente de que a sua felicidade não depende do parceiro, que ela pode assumir o controle da própria vida, ainda que esteja num relacionamento em que haja filhos e até possível dependência financeira, ela consegue perceber que é capaz de restaurar a própria vida e tem forças para:

- **Se afastar** imediatamente do agressor, não permitindo que ele tenha contato por nenhum meio, seja por ligação ou mensagem de aplicativo;

- **Não ter medo de denunciar** crimes de violência contra a mulher e adotar todas as medidas possíveis de proteção – uma ordem judicial de afastamento, por exemplo;
- **Buscar apoio psicológico** para si e para seus dependentes se for o caso, pois a violência emocional, moral e psicológica é tão nociva quanto a física.

Ao longo do livro, foram deixados alertas para que todas as mulheres saibam exatamente como identificar se estão vivendo em um relacionamento abusivo, além de compreender como reconhecer um parceiro que pode até se apresentar como um "príncipe", mas que no final das contas pode se revelar um agressor. Ninguém merece nem deve passar por situações de abuso físico ou psicológico em nome do amor. Agora que você já sabe como agir em casos como esse, não hesite em dar um basta definitivo à violência.

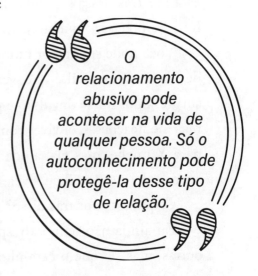

> O relacionamento abusivo pode acontecer na vida de qualquer pessoa. Só o autoconhecimento pode protegê-la desse tipo de relação.

* * *

É provável que Yannahe ainda não tenha descoberto todas as respostas que expliquem a vida dela hoje, mas, certamente, boa parte do percurso já foi traçado.

Quando nos dedicamos a tentar entender os mistérios da vida e procuramos uma resposta que nos conforte e nos ajude a seguir em frente, deparamos com situações que podem nos fazer querer voltar atrás, sair do ponto em que estamos e deixar tudo pra lá. Estamos vivos, é o que importa. Mas será que só estar vivo é o que importa?

Contentar-se com o fato de estar vivo não é suficiente. O que aconteceu com Nana é, sim, digno de uma explicação maior. O que ela ainda tem de cumprir nesta vida que a fez permanecer viva, contrariando todas as expectativas? O que está por trás dessa segunda chance? Será que ela precisa evoluir? Se precisa, o que deve ser transformado?

Você pode supor, por tudo o que leu neste livro, que a vida de Nana não é fácil e que, vez ou outra, ela ainda é pega de surpresa por uma convulsão e por isso ainda depende de algumas medicações. Conviver com a dor é quase uma tarefa diária para Yannahe, mas ela, ainda assim, aceita o desafio e segue afirmando que escolheu viver.

O que está por trás disso?

Eu ainda não tenho a resposta a essa pergunta e a tantas outras, mas sei que o caminho que leva Nana para essas respostas é seu percurso de autocura. Aos poucos, ela está chegando lá.

Eu escolhi viver

No dia 9 de abril de 2019, meu ex-marido invadiu o condomínio em que eu morava com um revólver 38 e uma única ideia na cabeça: impedir-me de ser feliz sem ele, acabando com a minha vida.

Capítulo 11
Eu escolhi viver

Era um crime premeditado, pois Miguel tinha preparado tudo. Segundo relatos de pessoas próximas, ele havia preparado no dia anterior a roupa que usaria no seu enterro, deixando-a em cima da cama, e até depositou o dinheiro para as despesas com o velório na conta de um amigo.

Hoje sei também que ele estava sob efeito de drogas naquele dia, potencializando o seu estado completamente fora de si. Segundo a polícia, Miguel havia consumido o equivalente a oito pinos de cocaína. Se não tivesse morrido com o tiro em si próprio, teria morrido de overdose. Como havia dito anteriormente, Miguel também possuía um punhal. Ele estava decidido a me matar de qualquer maneira, e chegaram a afirmar que se ele estivesse com aquela arma branca em vez do revólver naquela noite, eu teria morrido, pois provavelmente não suportaria os ferimentos à faca. Mas prefiro acreditar que as coisas acontecem do modo como têm de acontecer. E eu escolhi viver, me agarrei à vida, por isso acredito que ainda estou aqui. Aquele tiro não me abateu.

Minha história com o meu ex-marido foi assim. Eu acredito que tive de viver tudo o que vivemos juntos, passar por tudo o que passei, e todos os momentos bons e ruins caminharam para chegar ao limite. Além de todas as ameaças e o terror que ele me fez passar antes de tentar me matar, me surpreendi quando soube do seu envolvimento com drogas. Enquanto estivemos juntos, nunca desconfiei de nada desse tipo. Então de fato eu não conhecia o homem com quem fui casada durante tantos anos. Será que não conhecemos a pessoa que vive do nosso lado? Acredito que muitas de nós infelizmente ainda não conhecem, mas nunca é tarde para traçar uma nova rota na vida.

Hoje, quando paro para pensar no que vivi naquele fatídico dia, percebo que a vida me preparou para que, de certa maneira, eu estivesse protegida do que eventualmente pudesse me fazer mal. O que eu sei, e todos os médicos confirmam, é que estou viva por um milagre. O tiro na minha cabeça que me fez perder massa encefálica teria matado qualquer pessoa, mas eu me mantive consciente até mesmo na hora mais escura daquele terrível dia para lutar pela minha sobrevivência.

E hoje não carrego mais as correntes que me prendiam ao passado. Sinto-me grata à vida e à oportunidade de continuar vivendo, aproveitando os dias como se fossem os últimos. Hoje tenho plena convicção de que estou protegida por algo maior e que cumpri a minha missão naquele dia: tirar meus filhos do prédio para não assistirem à horrível cena do pai atirando em mim e depois nele mesmo, e também mantê-lo longe do apartamento onde estavam a minha prima e meu namorado à época. Algo muito maior me deu forças e discernimento para seguir adiante e tomar as decisões que tomei enquanto era mantida refém pelo Miguel, completamente alucinado, gritando enlouquecido que ele tinha decidido que aquele era nosso dia de morrer.

Meu ex-marido fez suas próprias escolhas. Logo após atirar em mim pelas costas, alvejando a minha nuca, Miguel atirou na própria cabeça, tirando assim o que Deus lhe havia dado com tanto amor: sua própria vida. Confesso que, apesar de simpatizar com temas religiosos e de fé, só comecei a pensar sobre isso, de fato, quando passei pelo que passei. Por que estou vivendo tudo isso? Por que levei um tiro na cabeça do homem com quem dividi minha vida por treze anos? Por que sobrevivi à sua tentativa de assassinato?

Sempre procurei viver a vida de forma plena, com confiança em algo maior, e sempre me senti protegida, blindada. Hoje, com todo o aprendizado que acumulei, percebo que esse sentimento de confiança, de fé, me ajudou a ficar viva.

Eu sou um milagre

Ainda existem pessoas que não creem que eu de fato levei um tiro à queima-roupa na cabeça e que ainda tenho fragmentos do projétil dentro do meu cérebro e levo uma vida praticamente normal, com poucas sequelas. Milagre? De acordo com a medicina, sim. Até hoje, ao olhar para trás, percebo que, mesmo depois de quase ter sido assassinada pelo meu ex-marido, eu tentei amenizar as agressões que sofri por parte dele durante uma vida inteira. Mas percebi isso somente quando iniciei o meu processo terapêutico. Comecei a notar que por muitas vezes eu contava que, antes daquele fatídico dia, havia sofrido apenas uma agressão de Miguel. Talvez o sangue tenha me mostrado, finalmente, que eu tinha sido agredida, e muito.

Há quem diga que, muitas vezes, quando ouvimos histórias de pessoas que sofrem qualquer tipo de violência ou se adaptam a situações violentas, também estamos ouvindo um relato que justifica aquela condição de vida. Na realidade, isso não justifica eu ter sobrevivido a uma tentativa de feminicídio. Mas, de certo modo, me faz enxergar que, à medida que eu evoluo e me aceito mais, posso mudar o rumo da minha vida.

Outra afirmação que fiz anteriormente neste livro é que venho de uma origem de mulheres fortes. Se perguntarem a qualquer pessoa da minha família uma característica comum das mulheres que fazem ou fizeram parte da nossa história, vão dizer da nossa força. Somos guerreiras, fortes, lutamos por aquilo que queremos e não sossegamos até conseguir.

Como, então, mulheres tão fortes como eu acabam entrando em relacionamentos abusivos? Como é que fomos acreditar nesses homens? Como pudemos aceitar a violência e os maus-tratos?

Pela minha experiência, posso dizer que, na maior parte dos casos, quem vive um relacionamento abusivo sequer imagina que está em um relacionamento desse tipo. O fato é que não temos consciência a respeito do que está acontecendo. Por essa razão, devemos deixar para trás os preconceitos, pois ser uma mulher forte, batalhadora, que luta pelo que acredita, não é garantia de que estará completamente protegida.

Hoje eu tenho forças e consciência para dizer que sofri muitas agressões físicas e morais do homem com quem convivi intimamente por treze anos da minha vida, sem me dar conta daquela realidade. Quando a perseguição por parte dele se agravou, assim que tentei engatar um novo relacionamento, os meus olhos começaram a se abrir. Para o meu martírio, ele passou a demonstrar cada vez mais intensamente que a nossa separação não havia acontecido numa boa, dizendo que não aceitava minha felicidade separada dele, e daí em diante começou a tortura que você presenciou nesta história. A corrida implacável atrás de mim, os assédios, as ameaças e uma doentia manipulação para querer voltar com ele. Quando comecei a namorar outro homem, momento em que ele enlouqueceu de vez, infelizmente já era tarde demais. Sabia que seria mais difícil do que pensava o meu ex-marido aceitar que não voltaríamos mais a ser um casal. Contudo, naquela época eu jamais poderia imaginar que as coisas terminariam como terminaram.

Eu escolhi perdoar

Passado o meu calvário, e ter ficado com algumas marcas indeléveis no corpo e na alma, como é o caso da dor constante com a qual convivo e luto para todos os dias me libertar, o caminho mais fácil era seguir culpando meu ex-marido por ter chegado ao extremo da violência. Mas se eu fizesse isso, eu não conseguiria me perdoar e perdoá-lo também. E sem perdão não há vida tranquila. Se eu havia escolhido viver, eu tinha de viver uma vida em paz e cheia de luz. Por isso escolhi o perdão.

Quando me refiro a perdão aqui, não quer dizer aceitar ou concordar com cada abuso e violência que passei, chegando ao ápice da tentativa de feminicídio que sofri. Não significa que a mulher que sofre em um relacionamento destrutivo deva dizer sim para isso e seguir sendo vítima. Para tudo isso já sabemos agora que o caminho é o afastamento, a busca pela proteção e a tomada de medidas legais, pois qualquer tipo de violência é crime.

O perdão a que me refiro aqui e o que eu precisava alcançar é, na realidade, sinônimo de superação. Para vencer todo o sofrimento que ficara após o terror que vivi, eu precisava primeiro me perdoar, livrando-me de uma culpa que eu me impusera pelas coisas que me aconteceram e por não ter enxergado desde o princípio que o meu relacionamento estava fadado ao fracasso; e eu precisava perdoar o homem que tentou me tirar a vida e ceifou a própria para que eu pudesse seguir em frente sem pesos do passado.

Sou mãe de dois filhos com esse homem, que se perdeu na vida e tentou me arrastar com ele, mas a minha preocupação é criar minhas crianças e cuidar delas da melhor maneira possível. Por essa razão, eu não poderia reforçar o trauma que elas já viveram, acentuando a mágoa deixada pelo pai. Então com frequência os incentivo a não nutrirem raiva, rancor ou qualquer outro sentimento negativo pelo pai por ter feito o que fez, e os conduzo sempre no caminho da compreensão acerca de tudo o que aconteceu, como o fato de o pai deles ter adoecido e feito escolhas erradas. Dessa maneira, eu os ensino o valor do perdão. E quando a minha caçula, ainda com meses de vida enquanto escrevo este livro, fruto de um novo amor e mais uma prova de milagre em minha vida, tiver idade suficiente para compreender a história da mãe, transmitirei a ela os mesmos ensinamentos.

* * *

Até chegar a essa compreensão, foi todo um processo. Precisei percorrer o caminho de volta para dentro de mim, olhar para além da imagem que eu enxergava no espelho. Quem eu era, afinal?

Finalmente, percebi que as respostas para tudo o que me afligia sempre estiveram dentro de mim, e que assim eu poderia transformar toda aquela dor em força para me trazer de volta a uma vida plena. Nesta jornada, descobri que eu sou responsável por tudo de bom que acontece comigo, assim como por zelar pela minha vida e nunca mais permitir que alguém a viole. O amor não tem nada a ver com a dor. Passei a me amar ainda mais após esse encontro comigo mesma e isso foi algo transformador.

Sempre escolha viver

Meu nome é Yannahe Marques, tenho 35 anos, sou mãe de três filhos e sobrevivente de uma tentativa de feminicídio pelo meu próprio ex-marido.

Até hoje, procuro algum outro caso no mundo como o meu, mas ainda não encontrei outra pessoa que tenha sobrevivido a um tiro na cabeça, com consequente perda de massa encefálica, e viva com a mesma oportunidade que eu tenho de falar, andar, enxergar e estar ainda com todos os outros sentidos e sensibilidade preservados, com mínimas sequelas. Depois de tudo o que aconteceu comigo, eu deveria ter partido. Mas hoje eu tenho certeza de que a minha missão ainda não acabou.

Ao contar a minha história neste livro, minha intenção é ajudar o máximo de mulheres que eu puder a também se enxergarem e perceberem o menor sinal de perigo que porventura estiverem passando em seus relacionamentos, a fim de romperem o quanto antes com seus agressores e não correrem o risco de chegar ao extremo que eu vivi na pele e compartilhei aqui.

Deixo então o meu apelo para que vocês percebam se também estão envolvidas em um relacionamento tóxico assim como eu me envolvi. Se esse é o seu caso, ou de alguém que você conheça, saiba que a vítima nunca tem culpa, que infelizmente o comportamento descontrolado do parceiro que destrói o relacionamento não é sua responsabilidade, mas você precisa, sim, cuidar de você. Se afaste, se proteja e busque seus direitos. Esse é o seu compromisso, e acredite: você tem muito mais força do que pode imaginar, pois você pode sempre escolher viver.

Anexos

(parte 2)

Parte 2
Anexos

SECRETARIA DE ESTADO DA SEGURANÇA PÚBLICA
POLÍCIA CIVIL DO ESTADO DE SÃO PAULO

Dependência: PLANTÃO-DEF.MUL.CAMPINAS-2ªSEC   FOLHA:1
Boletim No.: 352/2019   INICIADO:10/04/2019 06:44 e EMITIDO: 10/04/2019 07:08

1ª Via   KMLRSVCBDMEEFJ][

Boletim de Ocorrência de Autoria Conhecida.

Complementar ao(s) R.D.O.(s) nº(s):
    348/2019 - PLANTÃO-DEF.MUL.CAMPINAS-2ªSEC

Natureza(s):
    Espécie: L 11340/06 - Violência Doméstica
    Natureza: Violência Doméstica
    Consumado

    Espécie: Título I - Pessoa (arts. 121 a 154)
    Natureza: Homicídio qualificado (art. 121, §2o.)
    Tentado

    Espécie: Suicídio
    Natureza: Suicídio consumado
    Consumado

    Espécie: Título I - Pessoa (arts. 121 a 154)
    Natureza: Ameaça (art. 147)
    Consumado

Local:

Tipo de local:
Circunscrição: 04 D.P. - CAMPINAS

Ocorrência: 09/04/2019 às 21:43 horas
Comunicação: 10/04/2019 às 06:44 horas
Elaboração: 10/04/2019 às 06:44 horas
Flagrante: Não

Vítima:
- YANNAHE MARQUES MOREIRA - Não presente ao plantão - RG:
  emitido em 05/09/2018 - Exibiu o RG original: Não
  Pai: - Mãe:
  Natural de: CAMPINAS -SP - Nacionalidade: BRASILEIRA - Sexo: Feminino
  Nascimento: 15/06/1985 33 anos - Estado civil: Divorciado
  Profissão: VENDEDOR(A) - Instrução: 2 Grau completo - CPF:
  Advogado Presente no Plantão: Não - Cutis: Branca - Tem Deficiência? Não
  Tem Transtorno Mental? Não - Endereço Residencial:

  Relacionamento: CASAMENTO com Autor/Vítima
-                              - Presente ao plantão - RG:
  emitido em 04/12/2007 - Exibiu o RG original: Sim - Pai:
  Mãe: - Natural de: PATOS DE MINAS -MG
  Nacionalidade: BRASILEIRA - Sexo: Masculino - Nascimento: 15/08/1981
  37 anos - Estado civil: Solteiro - Profissão: ESTUDANTE
  Instrução: Superior completo - CPF:

PLANTÃO-DEF.MUL.CAMPINAS-2ªSEC   www.policiacivil.sp.gov.br
Endereço da delegacia : R FERDINANDO PANATTONI, 590 - JD. PAULICÉIA-CAMPINAS-SP. CEP: 13060-090

SECRETARIA DE ESTADO DA SEGURANÇA PÚBLICA
POLÍCIA CIVIL DO ESTADO DE SÃO PAULO

Dependência: PLANTÃO-DEF.MUL.CAMPINAS-2ªSEC
Boletim No.: 352/2019   INICIADO:10/04/2019 06:44 e EMITIDO: 10/04/2019 07:08
FOLHA:2

1ª Via   KMLRSVCBDMEEFJ][

Advogado Presente no Plantão: Não - Cutis: Branca
Olhos: Castanhos escuros - Cor do cabelo: Castanhos escuros
Tem Deficiência? Não - Tem Transtorno Mental? Não
Endereço Residencial:

Testemunha:
- ═══════════════════════ - Presente ao plantão - RG: ═══════
emitido em 02/05/1997 - Exibiu o RG original: Sim
Pai: ═══════════════ - Mãe: ═══════════════
Natural de: LIVRAMENTO BRUMADO -BA - Nacionalidade: BRASILEIRA
Sexo: Masculino - Nascimento: 05/01/1982 37 anos - Estado civil: Solteiro
Profissão: VIGILANTE - Advogado Presente no Plantão: Não
Endereço Residencial:
PQ CIDADE CAMPINAS - CAMPINAS - SP - Telefones:
(Celular) Pessoa Relacionada: Vítima - YANNAHE MARQUES MOREIRA

- ═══════════════════════════════════ - Presente ao plantão
RG: ═══════ - Exibiu o RG original: Sim - Pai: ═══════
Mãe: ═══════════════════ de: CAMPINAS
Nacionalidade: BRASILEIRA - Sexo: Feminino - Nascimento: 26/07/1965
53 anos - Estado civil: Solteiro - Profissão: VENDEDOR(A)
Instrução: 2 Grau completo - CPF:
E-mail: ═══════════════ - Advogado Presente no Plantão: Não
Cutis: Branca - Endereço Residencial:
PARQUE INDUSTRIAL - CEP: ═══════════════ Telefones:

Pessoa Relacionada:

- ═══════════════════════ - Presente ao plantão - RG: ═══════
emitido em 30/08/2013 - Exibiu o RG original: Sim - Pai: ═══════
Mãe: ═══════════════ - Natural de: RIBEIRAO PRETO -SP
Nacionalidade: BRASILEIRA - Sexo: Masculino - Nascimento: 27/03/1990
29 anos - Estado civil: Solteiro - Profissão: POLICIAL MILITAR
CPF: ═══════════════ - Advogado Presente no Plantão: Não - Cutis: Branca
Olhos: Castanhos escuros - Cor do cabelo: Castanhos escuros
Endereço
═══════════════ Telefones:

Condutor:
- ═══════════════════════ - Presente ao plantão - RG: ═══════
emitido em 31/01/1995 - Exibiu o RG original: Sim
Pai: ═══════════════ - Mãe: ═══════════════
Natural de: PEDERNEIRAS -SP - Nacionalidade: BRASILEIRA - Sexo: Masculino
Nascimento: 23/08/1981 37 anos - Estado civil: Ignorado
Profissão: POLICIAL MILITAR - Advogado Presente no Plantão: Não
Endereço Comercial:
═══════════════ Telefones:

PLANTÃO-DEF.MUL.CAMPINAS-2ªSEC   www.policiacivil.sp.gov.br
Endereço da delegacia : R FERDINANDO PANATTONI, 590 - JD. PAULICÉIA-CAMPINAS-SP. CEP: 13060-090

SECRETARIA DE ESTADO DA SEGURANÇA PÚBLICA
POLÍCIA CIVIL DO ESTADO DE SÃO PAULO

Dependência: PLANTÃO-DEF.MUL.CAMPINAS-2ªSEC   FOLHA:3
Boletim No.: 352/2019   INICIADO:10/04/2019 06:44 e EMITIDO: 10/04/2019 07:08

1ª Via   KMLRSVCBDMEEFJ][
Autor/Vítima:
- ▬▬▬▬▬▬▬▬▬▬▬▬▬▬▬▬ - Não presente ao plantão - Vítima fatal
  RG: ▬▬▬▬▬ - emitido em 21/07/1998 - Exibiu o RG original: Não
  Mãe: ▬▬▬▬▬▬▬▬▬▬▬▬ - Natural de: CAMPINAS -SP
  Nacionalidade: BRASILEIRA - Sexo: Masculino - Nascimento: 25/03/1975
  44 anos - Estado civil: Casado - Profissão: VENDEDOR(A)
  Instrução: 2 Grau completo - Advogado Presente no Plantão: Não
  Cutis: Branca - Tem Deficiência? Não - Tem Transtorno Mental? Não
  Endereço Residencial: ▬▬▬▬▬▬▬▬▬▬▬▬▬
  SP

Veículos:
 - Placa: ▬▬▬▬ - Cidade: SAO PAULO - UF: SP - Chassis: ▬▬▬▬▬
   RENAVAM: ▬▬▬▬▬▬ - Marca/Modelo: RENAULT/DUSTER 16 D 4X2
   Tipo: CAMIONETA - Ano fabricação: 2015 - Ano modelo: 2015 - Cor: Verde
   Combustível: ALCO/GASOL
   Proprietário: TOKIO MARINE SEGURADORA SA - Ocorrência: Envolvido
   Local: Garagem coletiva de prédio - Segurado: Ignorado
   Observações:
   TRAZIDO POR MEIOS PRÓPRIOS A DELEGACIA PELA TESTEMUNHA ▬▬▬▬
   ▬▬▬▬▬▬▬▬ - Pessoa relacionada: ▬▬▬▬▬▬▬

Objetos - (APREENDIDO)
 - Tipo: Minerais/produtos/derivados reino miner. - Subtipo: Embalagem
   Qtde: 2 - Unidade.: Unidade - Marca: SEM MARCA
   Observações:
   2 (DUAS) EMBALAGENS PLÁSTICAS ESVERDEADAS CONTENDO PÓ BRANCO - LACRE 0119878
   Pessoa relacionada: ▬▬▬▬▬▬

 - Tipo: Minerais/produtos/derivados reino miner. - Subtipo: Embalagem
   Qtde: 1 - Unidade.: Unidade
   Observações: 1 (UMA) EMBALAGEM DE RODILON - 25G - LACRE 0119851
   Pessoa relacionada: ▬▬▬▬▬▬

 - Tipo: Munições - Subtipo: Projetil - Qtde: 10 - Unidade.: Unidade
   Observações:
   3 (TRÊS) PROJÉTEIS DEFLAGRADOS, SENDO QUE UM DELES CONTÉM MATERIAL
   BIOLÓGICO
1 (UMA) JAQUETA DE PROJÉTIL DE ARMA DE FOGO
6 (SEIS) CÁPSULAS,
   CALÍBRE 38 SPLP - CBC, VAZIAS
LACRE 0119908 - Pessoa relacionada: ▬▬▬▬▬▬

 - Tipo: Papelaria/Livraria - Subtipo: Cartão - Qtde: 2 - Unidade.: Unidade
   Observações: CARTÃO SEGURO UNIMED E CARTÃO LOJA RENNER - LACRE 0119858
   Pessoa relacionada: ▬▬▬▬▬▬

 - Tipo: Telecomunicação - Subtipo: Telefone celular - Qtde: 1
   Unidade.: Peça - Número: ▬▬▬▬▬▬▬▬▬ - Marca: LG
   Observações:
   1 (UM) CEULAR LG BL-45A1H, COR PRETA, COM PAPEL INDICANDO A SENHA DO APARELHO

PLANTÃO-DEF.MUL.CAMPINAS-2ªSEC   www.policiacivil.sp.gov.br
Endereço da delegacia : R FERDINANDO PANATTONI, 590 - JD. PAULICÉIA-CAMPINAS-SP. CEP: 13060-090

SECRETARIA DE ESTADO DA SEGURANÇA PÚBLICA
POLÍCIA CIVIL DO ESTADO DE SÃO PAULO

Dependência: PLANTÃO-DEF.MUL.CAMPINAS-2ªSEC
Boletim No.: 352/2019   INICIADO:10/04/2019 06:44 e EMITIDO: 10/04/2019 07:0#
FOLHA:

1ª Via   KMLRSVCBDMEEFJ]

IMEIS -
LACRE 482738 - Pessoa relacionada:
  Origem: Pessoa Física

- Tipo: Valor/Moeda - Subtipo: Real - Qtde: 862 - Unidade.: Valor
  Observações:
  R$ 862,00 (OITOCENTOS E SESSENTA E DOIS REAIS) EM NOTAS DE PAPEL - LACRE
  0119858 - Pessoa relacionada:

Armas e Acessórios:
- Pessoa relacionada: - Modo: APREENDIDO
  Arma: Revolver - Nº: - Marca: ROSSI - Calibre: 38
  Proprietário: - Cartuchos íntegros: 0
  Cartuchos picotados: 0 - Cartuchos deflagrados: 0
  Estado: COM MARCAS DE SANGUE

Histórico:
O presente B.O. designa-se a incluir a vítima de ameaça   , atual namorada da
vítima de homicídio tentado, o qual foi por várias vezes ameaçado de morte pelo
autor, por recados através da vítima Yannahe, o qual deixou de ser ouvido por
encontrar-se extremamente abalado.

Providências tomadas: MSG CEPOL
Exames requisitados: IC-IML
Solução: BO PARA ADENDO

PLANTÃO-DEF.MUL.CAMPINAS-2ªSEC   www.policiacivil.sp.gov.b
Endereço da delegacia : R FERDINANDO PANATTONI, 590 - JD. PAULICÉIA-CAMPINAS-SP. CEP: 13060-
090

SECRETARIA DE ESTADO DA SEGURANÇA PÚBLICA
POLÍCIA CIVIL DO ESTADO DE SÃO PAULO

Dependência: PLANTÃO-DEF.MUL.CAMPINAS-2ªSEC FOLHA:5
Boletim No.: 352/2019   INICIADO:10/04/2019 06:44 e EMITIDO: 10/04/2019 07:08

1ª Via   KMLRSVCBDMEEFJ][

"TERMO DE CIÊNCIA – LEI 11.340/06"

A(s) vítima(s) (e/ou seu representante legal), qualificada(s) (os) nesse registro de ocorrência, foi(ram) cientificada(s) (os) expressamente:

a) da eventual necessidade de representação, em virtude da natureza da infração, a ser oferecida pessoalmente ou por procurador com poderes específicos, no prazo improrrogável de seis (6) meses, a partir do conhecimento da autoria, não podendo mais exercer esse direito após o decurso do prazo;

b) da importância de manter atualizado o seu endereço constante do registro policial, bem como das demais pessoas apontadas (autor do fato e testemunhas);

c) dos direitos que lhe são assegurados pela Lei nº 11.340/06 (Lei Maria da Penha), dentre eles o de requerer medidas protetivas de urgência;

d) da inexistência de atribuição legal ao Delegado de Polícia para decretar medidas protetivas de urgência, com previsão de apenas encaminhar o respectivo pedido ao Juiz de Direito para apreciação e eventual determinação das medidas requeridas no prazo de 48 (quarenta e oito) horas;

e) da possibilidade de requerer as medidas protetivas ao órgão ministerial ou diretamente à autoridade judicial caso assim deseje;

f) da rede de apoio atualmente disponível para que seus direitos sejam assegurados, conforme relação que se encontra afixada nesta unidade.

"Vítima orientada quanto ao prazo decadencial de 06 (seis) meses para o oferecimento de representação criminal em face do autor/investigado na Delegacia de Polícia da área do fato. Cientificada de que a contagem do prazo decadencial inicia-se da data do conhecimento da autoria, não da data do fato criminoso."

Confere(m), assina(m) e recebe(m) uma via

ESCRIVÃO DE POLÍCIA   DELEGADA DE POLÍCIA

PLANTÃO-DEF.MUL.CAMPINAS-2ªSEC   www.policiacivil.sp.gov.br
Endereço da delegacia : R FERDINANDO PANATTONI, 590 - JD. PAULICÉIA-CAMPINAS-SP. CEP: 13060-090

Para denunciar e buscar ajuda a vítimas de violência contra mulheres, ligue:

180

O Ligue 180 atende todo o território nacional e também pode ser acessado em outros países. A ligação é gratuita e o serviço funciona 24 horas por dia, todos os dias da semana. São atendidas todas as pessoas que ligam relatando eventos de violência contra a mulher.*

* Disponível em: https://www.gov.br/mdh/pt-br/assuntos/denuncie-
-violencia-contra-a-mulher

Livros para mudar o mundo. O seu mundo.

Para conhecer os nossos próximos lançamentos
e títulos disponíveis, acesse:

🌐 www.**citadel**.com.br

ⓕ /**citadeleditora**

📷 @**citadeleditora**

🐦 @**citadeleditora**

▶ Citadel - Grupo Editorial

Para mais informações ou dúvidas sobre a obra,
entre em contato conosco pelo e-mail:

✉ contato@**citadel**.com.br